Maria Sauheitl

Tiere schnitzen

Maria Sauheitl

Tiere schnitzen

Von der Idee zur fertigen Figur

Bibliografische Information Der Deutschen Bibliothek
Die Deutsche Bibliothek verzeichnet diese Publikation in der Deutschen Nationalbibliografie; detaillierte bibliografische Daten sind im Internet über http://dnb.ddb.de abrufbar.
ISBN 3-332-01401-3

www.verlagsgruppe-dornier.de
www.urania-verlag.de
1. Auflage März 2003

Der Urania Verlag ist ein Unternehmen der Verlagsgruppe Dornier.

Umschlaggestaltung: Behrend & Buchholz, Hamburg
Fotos: S. 18, 19 u., 20 o., 24 Frank Müller; S. 19 o. u. M., 20 u. Zulauf Messerschmiede; S. 26 Konrad Sauheitl; alle übrigen Fotos Erwin Fleischmann
Umschlagfoto: Erwin Fleischmann
Zeichnungen: Ekkehard Drechsel und Maria Sauheitl
Gestaltung und Satz: alpha & bet Verlagsservice, München
Gesamtherstellung: Urania Verlag
Printed in Italy by Stige

Gedruckt auf alterungsbeständigem Papier mit chlorfrei gebleichtem Zellstoff.

Die Schreibweise entspricht den Regeln der neuen Rechtschreibung.

Inhalt

Einleitung

Seit es Menschen gibt, haben sie sich und ihre Umgebung abgebildet: Sie haben gezeichnet, gemalt, geformt oder auch geschnitzt. Neben dem Menschen selbst war das Tier von Anfang an ein beliebtes Motiv. Schon in frühester Zeit wurden Wildtiere abgebildet und die Bilder in Jagdrituale eingebunden. Das menschliche Vergnügen an der Nachbildung der Natur verband sich mit dem Wunsch, von den Göttern Glück beim Jagen des so überlebenswichtigen Wildes zu erhalten. Später kamen die verschiedenen Haustiere als Motive dazu. Tiere spielten (und spielen noch heute) in allen Kulturen und Religionen eine große Rolle als Symbolträger für bestimmte Eigenschaften oder als göttliche Wesen. Beispiele dafür sind die katzen-, hunde- oder vogelköpfigen Götter der Ägypter, die hinduistischen Elefanten- und Affengötter, afrikanische Tiermasken und -skulpturen, die gefiederte Schlange der Azteken oder die vielen Tiermischwesen in der griechischen Mythologie wie etwa der Faun. Letztere sind feste Bestandteile der europäischen Kultur. Nicht nur die Lust am Nachbilden war die treibende Kraft, die Tierdarstellungen wurden vielmehr als Kultgegenstände zu rituellen und religiösen Zwecken geschaffen und verwendet. Auch die im europäischen Kulturkreis noch heute am häufigsten geschnitzten Tiere, nämlich Schaf, Ochs und Esel, die an keiner Weihnachtskrippe fehlen dürfen, gehören dazu.

gegenüberliegende Seite:
Figur eines Affen, Anfängerarbeit von Horst Sauheitl, ca. 1940

Spielzeugpferd, Laienarbeit von Franz Sauheitl, ca. 1925

Einen besonderen Stellenwert in der Tierdarstellung hatte schon immer das Pferd. Bereits die prähistorischen Höhlenmenschen malten Pferde als bevorzugte Jagdbeute auf ihre Wände und seit dem Altertum fehlten sie selten auf Darstellungen von Schlachten. Das Pferd wurde verehrt wie kaum ein anderes Tier und entsprechend oft dargestellt. Doch auch andere als besonders edel und stark empfundene Tiere wie etwa der Löwe oder der Adler sind bis heute ein wichtiges Motiv.
Immer schon war Holz ein bevorzugtes Material, um Tierfiguren zu schaffen, doch sind wegen der im Vergleich zum Stein geringen Haltbarkeit nur wenige alte Figuren aus Holz erhalten geblieben. Tierfiguren sind auch eines der ältesten und beliebtesten Spielzeuge für Kinder. Dabei sind Tiere aus Holz wegen ihres natürlichen und angenehmen Charakters trotz der Konkurrenz aus Plastik nach wie vor sehr gefragt. Die Möglichkeiten, Spielzeugtiere aus Holz zu formen, sind beinahe unbegrenzt. Sie reichen von der Arche Noah oder dem Bauernhof mit all seinen Tieren über Handpuppen mit Tierköpfen bis zum Steckenpferd. Ein weiterer Grund für die Darstellung von Tieren ist deren fortschreitende Zurückdrängung durch die Zivilisation. Viele Tiere, die heute wenigstens noch in Nationalparks oder Tiergärten beobachtet werden können, werden wohl in nicht allzu ferner Zukunft ausgestorben sein. Täglich verschwinden viele Tierarten auf Nimmerwiedersehen und sind damit unwiederbringlich verloren. Dabei gibt es sehr viele tierliebende Menschen, die großes Interesse für die Tierwelt zeigen. Je technischer und unnatürlicher unser Lebensraum wird, desto faszinierender wirkt das vielfältige Leben in der Natur. Vielleicht kann es ja ein kleiner Trost für diese Menschen sein, wenn in hundert Jahren wenigstens noch ein paar geschnitzte Holztiere übrig geblieben sind, die vom Interesse des heutigen Menschen an der Tierwelt zeugen. Auch wenn Holz keine Jahrtausende übersteht, so hat es dennoch meist einen längeren Bestand als eine Fotografie oder ein Tierfilm.

Ein lebendiger Werkstoff

Holz als Material

Die verschiedenen Holzarten

Die Wahl der Holzart spielt eine wichtige Rolle, denn nicht alle Hölzer sind zum Schnitzen von Figuren zu empfehlen. Zwar kann fast jedes gesunde Holz von erfahrenen Bildhauern verwendet werden, doch haben es Anfänger mit Harthölzern besonders schwer und verlieren deshalb schon am Anfang häufig jede Lust weiterzumachen. Für das Schnitzen kleiner bis mittelgroßer Tierfiguren wie Krippenfiguren ist Lindenholz mit Abstand am besten geeignet, da es weich und besonders fein, also sehr angenehm zu schneiden ist. Zudem hat es eine gleichmäßige, eher unauffällige Struktur. Seine Färbung ist weißlich bis gelblich, manchmal mit einem Stich ins Rötliche oder Graue. Es ist das gängigste Schnitzholz überhaupt. Eine zweite sehr geeignete Holzart ist die Zirbelkiefer. Ihr Holz hat ähnlich gute Eigenschaften für die Bearbeitung und zeichnet sich außerdem durch einen äußerst angenehmen Geruch aus (Lindenholz riecht hingegen seltsam säuerlich). Der Farbton der Zirbelkiefer ist etwas stärker ausgeprägt und wärmer als beim Lindenholz; er tendiert ins Rötliche. Außerdem hat das Holz eine stärkere, dabei jedoch feine Maserung. Es wird sehr oft zum Schnitzen von Krippenfiguren verwendet, ist jedoch nicht leicht zu beschaffen. Die Auswahl des Holzes hängt natürlich auch stark von der Art des Motivs ab. Für naturgetreu geschnitzte Tiere mit vielen Details wie Augen, Tatzen, Feder- oder Fellstrukturen eignen sich auf jeden Fall die oben genannten Hölzer am besten. Soll dagegen eine stark vereinfachte Figur entstehen, bei der mehr Gewicht auf eine schöne glatte Oberfläche als auf eine realistische Darstellung gelegt wird, kann auch eine stärker gemaserte Holzart gewählt werden. Durch eine ausgeprägte Maserung werden klare, einfache Formen besonders gut betont. Hier eignen sich die Hölzer von Obstbäumen wie Kirschbaum und Birnbaum, aber auch Nussbaum oder Lärche besonders gut. Lärchenholz setzt allerdings schon einige Erfahrung im Schnitzen voraus, da es ungleichmäßig hart ist. Die genannten Hölzer ergeben eine sehr schöne Oberfläche mit einer interessanten Zeichnung in verschiedenen Farbtönen, besonders wenn die Figur am Schluss geschliffen wird.

Für kleine Figuren wie Schachfiguren sind auch Harthölzer wie Ahorn sehr gut geeignet. Ahornholz hat eine schöne gelbliche Färbung und man erhält eine glänzende, fein strukturierte Oberfläche. Wegen seiner Härte empfiehlt es sich aber nur für sehr kleine Objekte. Bei größeren Figuren stellt dieses Holz hohe Anforderungen an die Geduld, aber auch an die Gelenke des Schnitzers.

Der zukünftige Standort der Figur spielt bei der Entscheidung für ein bestimmtes Holz ebenfalls eine wichtige Rolle. Für Figuren, die im Freien aufgestellt werden sollen, sind alle bisher genannten Holzarten wegen ihrer geringen Wetterfestigkeit unbrauchbar. Hier müssen Holzarten mit einem hohen Gerbsäuregehalt gewählt werden. Das beste und am häufigsten verwendete Holz für Figuren, die beispielsweise im Garten Wind und Wetter ausgesetzt werden sollen, liefert die Eiche. Aber

Wildschweinfigur, aus Eichenholz geschnitzt

Eiche

Ahorn

auch Rüster (Ulme) oder Lärche lassen sich dafür gut verwenden. Anfänger sollten allerdings mit der Bearbeitung von Eichenholz warten, bis sie einige Erfahrung im Schnitzen gesammelt haben. Eiche ist im Vergleich zu Lindenholz hart und bricht aufgrund seiner spröden Eigenschaften leicht aus. Da es eine eher grobe Struktur hat, eignet es sich nicht besonders für kleine und detaillierte Figuren. Eichenholz kann aber einfache Formen durch seine interessante Maserung betonen.
Zum Schnitzen ziemlich ungeeignet sind Nadelhölzer wie Fichte oder Tanne sowie Buche, Kastanie und Birke. Diese Hölzer können bestenfalls für große Figuren mit groben Formen eingesetzt werden, die dann aber nicht geschnitzt, sondern mit dem Klüpfel und einem großen Bildhauereisen herausgehauen oder mit der Kettensäge herausgesägt werden.

Der Faserverlauf

Holz ist ein über viele Jahrzehnte gewachsenes Material und hat daher eine unregelmäßige Struktur. Dies macht einerseits seinen angenehm warmen Charakter und damit seinen besonderen Reiz aus, bringt aber andererseits auch ganz spezielle Schwierigkeiten mit sich. Wer Holz bearbeiten möchte, muss seine Eigenarten kennen und berücksichtigen, da sich sonst keine Freude an der Arbeit einstellen wird.
Einige Kenntnisse über die Beschaffenheit des Werkstoffs Holz sind deshalb unerlässlich.
Die Holzfasern verlaufen nicht gleichmäßig nach allen Seiten, sondern in eine Richtung. Sieht man sich einen Baumstamm an, so lässt sich leicht erkennen, dass die Fasern von unten nach oben ausgerichtet sind. Der Baum wächst allerdings nicht nur von unten nach oben, sondern vor allem nach außen. Dies lässt sich sehr schön an den Jahresringen ablesen. Sie sind an der Schnittfläche eines gefällten Baums zu erkennen, und anhand ihrer Zahl kann das Alter des Baums genau bestimmt werden. Die Ringe entstehen dadurch, dass das im Frühjahr schnell gewachsene Frühholz eine hellere Farbe als das im Herbst gewachsene Spätholz annimmt. Am Querschnitt des Baums kann dessen Aufbau nachvollzogen werden. Der Baumstamm besteht, von innen nach außen gesehen, aus folgenden Teilen:

- dem Kernholz, also dem ältesten Teil des Baums, in dem kein Stoffwechsel mehr stattfindet, das aber noch eine tragende Funktion besitzt. Bei den so genannten Kernholzarten wie z. B. Kiefer oder Eiche ist es deutlich dunkler gefärbt als der Rest des Stamms;

Nussbaum

Zwetschge

- dem Splintholz, also dem jüngeren Holz, durch dessen Zellen das Wasser von den Wurzeln bis in die Krone geleitet wird. Während außen jedes Jahr ein neuer Splintholzring gebildet wird, verwandeln sich die inneren Zellen in Kernholz, d. h. sie „verkernen";
- der Zellschicht bzw. dem Kambium, die für das eigentliche Wachstum zuständig ist und neues Holz sowie neue Borke erzeugt;
- dem Bast, also der inneren Rinde, durch den Nahrung in alle Teile des Baums transportiert wird;
- der Borke, also der äußeren Rinde, die als Schutz vor Witterungseinflüssen wie Regen, Austrocknung, Temperaturschwankungen und Schädlingen dient.

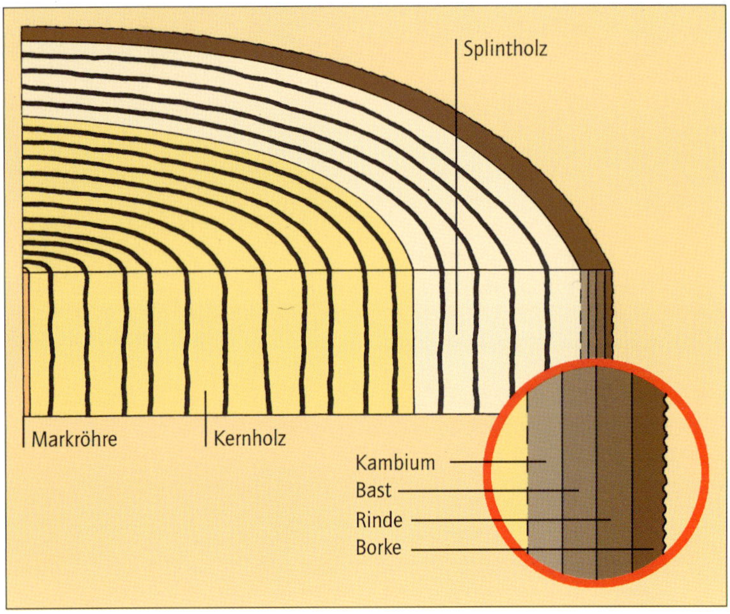

Querschnitt durch einen Baumstamm

Zum Schnitzen können nur Kern- und Splintholz verwendet werden, bei bestimmten Hölzern wie der Eiche sogar nur das Kernholz. Unbrauchbar ist auch die in der Mitte befindliche Markröhre.
Die Holzfaserrichtung muss beim Schnitzen unbedingt berücksichtigt werden. Holz kann also nicht beliebig in alle Richtungen bearbeitet werden wie andere Materialien, beispielsweise Stein. Der Schnitzer muss mit der Faser schneiden, damit er einen sauberen, glatten Schnitt erhält. Arbeitet er gegen die Faser, wird sie nicht glatt durchtrennt, sondern abgehoben bzw. abgerissen. Das Ergebnis ist eine raue und fasrige Oberfläche. Schlimmstenfalls brechen sogar ganze Holzteile ab.
Am schwersten lässt sich das so genannte „Hirnholz", also jene Fläche, die nach dem Fällen eines Baums zu sehen ist und die senkrecht zur Faserrichtung steht, bearbeiten. Arbeitet man senkrecht zur Holzfaser, muss man sie von der Seite her durchtrennen, was besonders viel Kraft erfordert, oft aber nicht zu umgehen ist.
Schon bei der Auswahl bzw. beim Zuschneiden eines Holzstücks für das geplante Objekt muss unbedingt auf dessen Faserrichtung geachtet werden, da das Holz in verschiedene Richtungen unterschiedlich leicht bricht. Die Figur muss so angelegt werden, dass lange, dünne Körperteile in Wuchsrichtung des Holzes, also der Faserrichtung verlaufen. Laufen die Fasern beispielsweise quer zur Richtung der Beine, so werden diese mit ziemlicher Sicherheit beim Schnitzen irgendwann abbrechen. Problematisch wird es dann, wenn eine Figur geplant ist, bei der die dünneren Teile in verschiedene Richtungen verlaufen, so etwa bei einer Kuh, bei der zwar die Beine senkrecht, aber die Hörner waagerecht ausgerichtet sind. In diesem Fall ist es oft sinnvoll und manchmal sogar unumgänglich, die waagerechten Teile extra zu schnitzen und am Schluss anzusetzen. Aus diesem Grund konnte (und kann) übrigens auch eine Christusfigur nie aus einem Stück geschnitzt werden; die Arme sind immer angesetzt.
Die richtige Schnittrichtung beim Schnitzen lässt sich theoretisch nur schwer vermitteln. Ein wirkliches Gefühl dafür, ohne das man hier nicht auskommt, stellt sich erst bei der praktischen Arbeit ein. Das Holz selbst signalisiert dem Schnitzer durch seine Reaktion bei jedem Schnitt, ob er das Werkzeug in die richtige oder in die falsche Richtung geführt hat. Doch bis sich eine gewisse Sicherheit im Umgang mit diesem lebendigen Material eingestellt hat, müssen einige Anstrengungen und auch Fehlschläge in Kauf genommen werden.
Erschwerend kommt hinzu, dass die Holzfasern nicht immer absolut gerade von unten nach oben gewachsen sind, sondern oft durch Äste und andere Einflüsse ihre Wuchsrichtung geändert haben. Manche Stämme sind leicht drehwüchsig, d. h. die Fasern verlaufen spiralförmig wie ein Korkenzieher. Rund um eingewachsene Äste sind die Holzfasern meist kreisförmig angeordnet und können dann an einzelnen Stellen durchaus quer zur sonstigen Faserrichtung liegen. Beim so genannten „Wimmerwuchs" verlaufen die Fasern in Schlangenlinien, was zwar bei

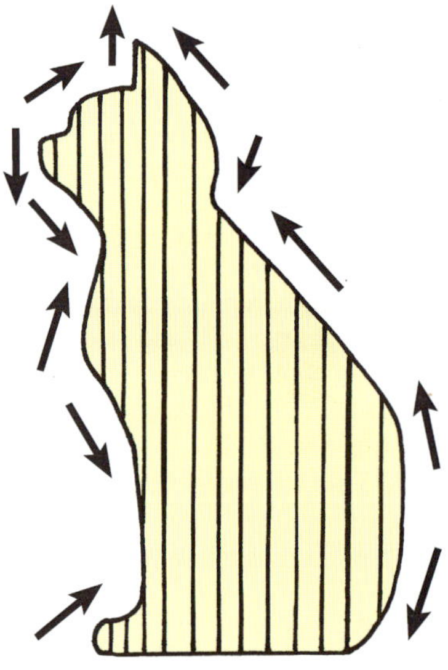

Schematische Darstellung des Holzfaserverlaufs. Die Pfeile kennzeichnen die richtige Schnittrichtung.

Verschiedene Tiermotive und ihre richtige Lage zum Faserverlauf

gehobelten Brettern eine wunderschöne Oberfläche erzeugt und bei Musikinstrumenten wohl einen ganz besonderen Klang hervorbringt – daher der Name –, beim Schnitzen aber Probleme bereitet. Solch schwierig zu bearbeitendes Material sollten Anfänger vorerst zur Seite legen und lieber astfreies und gerade gewachsenes Holz wählen, denn die oben beschriebenen Auswüchse stellen hohe Anforderungen an die schnitzerischen Fähigkeiten, setzen also große Erfahrung voraus. Sollte unverhofft bei einer schon begonnenen Figur solch eine schwierige Stelle auftauchen – was häufiger vorkommt –, muss mit besonders viel Vorsicht und Fingerspitzengefühl gearbeitet werden. Auch bei einem scheinbar völlig gerade und fehlerfrei gewachsenen Holzstück können sich im Inneren Äste oder andere Unregelmäßigkeiten verbergen. Mitunter liegt ein eingewachsener Ast so ungünstig, dass man mit einem neuen Holzstück von vorn beginnen muss. Besonders schwarze Äste, die auch noch eine bröselige Substanz haben, lassen keine andere Lösung zu.

Möglichkeiten der Holzbeschaffung

Schnitzholz ist nicht immer ganz leicht zu beschaffen, denn die Holzhandlungen sind in der Regel nicht auf Holzschnitzer eingestellt. Sie verkaufen ihr Holz normalerweise nur in großen Mengen und als Schnittware. Linde wird oft gar nicht geführt, und auch Zirbelkiefer ist nur äußerst selten zu bekommen. Selbst wenn man eine größere Figur plant, braucht man als Holzschnitzer keine Bohlen von sechs Meter

Großer Eisbär, geschnitzt aus Ahornholz mit einer Astverwachsung

Länge, die normalerweise nur im Ganzen verkauft werden und dann auch entsprechend teuer sind. Trotzdem lohnt sich immer wieder die Nachfrage, denn ab und zu findet sich noch irgendwo ein geeignetes Reststück. Die meisten Holzhändler sind sehr hilfsbereit, wenn sie hören, wofür das Holz gebraucht wird. Trotzdem sollte man jedes Stück genauestens untersuchen, bevor man es kauft. Unverkäufliche Reststücke haben manchmal Fehler oder gar faule Stellen, die man bei flüchtigem Hinsehen oft nicht erkennt.

Lagerung und Schädlinge

Solange ein Baum lebt, findet im Holz ein reger Stoffwechsel statt. Die einzelnen Holzzellen haben einen hohen Gehalt an Wasser gespeichert. Wird der Baum gefällt, beginnt der Trocknungsprozess, in dessen Verlauf sich das Holz verändert. Durch den Entzug von Feuchtigkeit verliert es an Volumen, man sagt es „schwindet". Der Holzschwund beträgt bis zu 10 % der Gesamtmasse und führt nicht nur zu einem Gewichtsverlust, sondern fast immer auch zu Rissbildungen, bei Brettern auch noch zu Verwerfungen, also Krümmungen. Dieser Vorgang wird als „Arbeiten" des Holzes bezeichnet.

Dieses „Arbeiten" ist dadurch bedingt, dass das Holz nicht gleichmäßig in alle Richtungen trocknet, sondern viel stärker in Richtung der Jahresringe als von innen nach außen. Deshalb ist es beim Trocknen großen Spannungen ausgesetzt.
Weitere Gefahren für die Qualität des gelagerten Holzes sind Fäulnisbildung und Schädlingsbefall. Wird ein Holzstück über längere Zeit direkter Feuchtigkeit ausgesetzt, beginnt es zu faulen, bekommt eine schwarze oder auch weißliche Färbung und zersetzt sich. Es wird also völlig unbrauchbar. Nicht weniger zerstörerisch können sich Holzschädlinge wie Holzwürmer oder Schimmelpilze

auswirken. Schon bei der Beschaffung sollte das Holz deshalb unbedingt auf Schädlingsbefall untersucht werden. Der Befall eines Stammes durch Holzwürmer ist an kleinen runden Löchern in der Rinde zu erkennen. Selbst wenn nur ganz wenige Löcher von außen zu sehen sind, kann das Holz innen schon völlig von den typischen Gängen, die die Würmer ins Holz bohren, durchzogen sein. Ist beispielsweise ein Eichenstamm auffällig leicht und rieselt beim Anheben vielleicht noch Holzstaub zu Boden, deutet dies darauf hin, dass schon ein Großteil der Holzsubstanz zerfressen ist. Stellt sich beim Entfernen der Rinde heraus, dass nur Rinde und Bast befallen sind, kann das Holz noch verwendet werden. Dabei muss aber geprüft werden, ob sich an irgendeiner Stelle Wurmlöcher befinden, denn solange sich noch ein Wurm im Holz befindet, setzt sich die Zerstörung fort. Die Schädlinge können zwar durch entsprechende chemische Substanzen vernichtet werden. Diese sind allerdings auch für den Menschen schädlich. Deshalb sollten sie nicht bei Figuren, die in geschlossenen Räumen aufgestellt werden, eingesetzt werden. Eine andere Möglichkeit der Wurmbekämpfung, wie sie bei wertvollen Antiquitäten angewendet wird, ist die Vernichtung der Holzwürmer durch heißen Dampf. Besonders gefährdet sind ganze Holzstämme, deren Rinde nicht entfernt wurde, denn Rinde und Bast werden besonders gern von Holzwürmern befallen. Dabei bevorzugen sie besonders Obstbäume wie Kirsche oder Birne, verschmähen aber leider auch Linde oder Eiche nicht.

Eine weitere Gefahr für das Holz sind Schimmelpilze wie Rotfäule oder Blaufäule, wobei Letztere besonders Linden gefährdet. Die Blaufäule wirkt sich allerdings meist nur auf die Farbe des Holzes aus, das sich, wie der Name schon sagt, blau verfärbt. Die Festigkeit und Qualität der Holzfaser selbst bleibt dagegen normalerweise unbeeinträchtigt. Wer also keinen Anstoß daran nimmt, eine bläulich verfärbte Figur zu haben, kann dieses Holz problemlos verwenden. Wird die Holzfigur später jedoch einer zu hohen Feuchtigkeit ausgesetzt, kann sich der Prozess der Blaufärbung fortsetzen. Die Rotfäule ist gefährlicher, da sie auch die Holzsubstanz angreift und langfristig zerstört.

Bei der Holzlagerung muss unbedingt darauf geachtet werden, dass sich kein von Schädlingen befallenes Holzstück zwischen den anderen Stücken befindet, da sich vor allem Holzwürmer, aber auch Pilze immer weiter ausbreiten. Ein „schwarzes Schaf" kann sogar den ganzen Holzvorrat unbrauchbar machen. Jedes davon befallene Teil sollte also sofort ausgesondert, einzeln untersucht und auf keinen Fall mehr mit den gesunden Hölzern in Berührung gebracht werden.

Die Entfernung der Rinde vor der Lagerung ist wegen der Gefahr des Schädlingsbefalls einerseits sinnvoll, führt aber andererseits auch zum schnelleren Austrocknen des Stamms und damit zu starker Rissbildung. Je nach Holzart kann es trotz der Gefahr des Schädlingsbefalls besser sein, einen ganzen Stamm mit der Rinde zu trocknen und zusätzlich noch an den Schnittstellen, also am Hirnholz, mit Ölfarbe zu bestreichen, damit er an diesen Stellen nicht schneller trocknet als im Innern.

Die wichtigste Voraussetzung für die Erhaltung der Holzqualität ist eine fachgemäße Lagerung. Diese hängt natürlich sehr von den räumlichen Möglichkeiten ab und kann je nach Gegebenheiten nicht immer optimal ausfallen. Einige Voraussetzungen müssen aber unbedingt erfüllt sein.

Frisch gefälltes, also so genanntes „nasses Holz" muss zunächst im Freien an einem trockenen, überdachten Platz mit möglichst viel Luftzugang gelagert werden. Dabei darf es auf keinen Fall im Nassen liegen oder dem Regen ausgesetzt sein. Um eine gleichmäßige Luftzufuhr von allen Seiten zu erreichen, sollten über die ganze Länge in gleichmäßigen Abständen kräftige Holzleisten untergelegt werden. Schnitthölzer, also Bohlen oder Bretter, werden – möglichst in der gleichen Reihenfolge, in der sie zugeschnitten worden sind – übereinander gestapelt und dabei ebenfalls durch (dünnere) Holzleisten getrennt. Dabei ist es wichtig, die Leisten immer auf gleicher Höhe zu platzieren und die Abstände dazwischen so zu bemessen, dass ein Durchhängen der Bretter verhindert wird. Durch das langsame Trocknen im Freien können starke Spannungen im Holz und damit eine zu starke Rissbildung verhindert werden.

Erst wenn das Holz einen Trocknungsgrad von ca. 15 % erreicht hat, sollte es in geschlossenen Räumen aufbewahrt werden. Hier ist die Gefahr der Fäulnisbildung weit gehend ausgeschlossen, doch kann es infolge der geringeren Luftfeuchtigkeit trotz korrekter vorheriger Lagerung nun zu stärkeren Rissen kommen. Auch der Schädlingsbefall wird in geschlossenen Räumen nicht unbedingt verhindert. Wichtig ist auch hier, dass das Schnittholz durch Leisten getrennt gestapelt wird. Die Dauer des Trocknungsprozesses hängt von der Stärke des Holzes ab. In der Regel wird ein Jahr für jeden Zentimeter Durchmesser benötigt, bis das Holz so weit ab-

Kirschbaumstamm mit ausgeprägter Rissbildung. Sehr deutlich sind hier auch Kern- und Splintholz zu erkennen.

getrocknet ist, dass es verarbeitet werden kann. Bei starken Bohlen oder gar Stämmen dauert dieser Prozess manchmal viele Jahre. Wer also nicht zufällig schon ein Holzlager angelegt hat, sollte sich zum Schnitzen möglichst fertig getrocknetes Holz besorgen, auch wenn dies etwas teurer ist. Nur gut abgetrocknetes Holz lässt sich richtig verleimen und schließt die Gefahr von Rissen und Verwerfungen einigermaßen aus.
Für Hobbyschnitzer ist es, wenigstens am Anfang, nicht sehr sinnvoll, große Holzvorräte anzuschaffen, die mühsam transportiert und gestapelt werden müssen. Meist hält sich die Größe der ersten Figuren in Grenzen. Wer sich also kleinere, eventuell schon getrocknete Holzstücke oder auch kleine Stammstücke beschaffen kann, muss sich um die Lagerung weniger Gedanken machen. Je nachdem, wie groß die geplanten Figuren werden sollen, empfiehlt es sich, die Holzstücke gleich auf die entsprechende Größe zuzusägen (oder beim Schreiner zusägen zu lassen). Je kleiner ein Holzstück ist, desto weniger besteht die Gefahr, dass es Risse bekommt. Dies gilt allerdings nicht für kleine Stämme. Bei einem ganzen Stamm wird es sich, unabhängig von dessen Größe, nie vermeiden lassen, dass er reißt. Frisch gefälltes Holz neigt natürlich noch stärker zur Rissbildung als Holz, das schon längere Zeit gelagert wurde.
Unabhängig von allen Trocknungsregeln gibt es Holzbildhauer oder -schnitzer, die nasses Stammholz für ihre Figuren bevorzugen, weil es sich viel leichter bearbeiten lässt als getrocknetes Holz. Mit dem Grad der Trocknung steigt auch der Härtegrad. Es ist durchaus möglich, eine Figur direkt aus einem frischen Stamm mit Bildhauereisen und Klüpfel herauszuschlagen. Je schneller dabei möglichst viel Holzmasse entfernt wird und je weniger kompakt und geschlossen die geplante Figur ist, umso weniger Risse treten auf, da durch entstehende Hohlräume die Trocknungsspannungen verringert werden. Handelt es sich um eine größere und gröbere Figur, fallen die beim späteren Trocknen entstehenden Risse kaum ins Gewicht und können manchmal sogar sehr reizvoll sein. Sind die Risse störend, können sie, wenn die Figur fertig geschnitzt und endgültig getrocknet ist, mit Keilen ausgefüllt werden (siehe unten). Allerdings kann sich die Figur beim Trocknen auch leicht verziehen, was aber meist kaum zu sehen ist. Beim so genannten „Ausspandeln" von Rissen werden aus schmalen Holzresten (bei kleinen Rissen können dazu passende Abfallspäne verwendet werden), die möglichst die gleiche Farbe und Struktur wie die Figur haben sollten, fein zulaufende Keilstücke gesägt, zugeschliffen und unter Zugabe von Leim so fest in den Riss gehämmert, bis dieser lückenlos geschlossen ist. Bei längeren Rissen sind manchmal mehrere Keile dafür nötig. Anschließend wird das herausstehende Stück des Keils weggeschnitzt und die Oberfläche fein überarbeitet. Mit etwas Ausdauer und Fingerspitzengefühl könnnen auf diese Weise selbst starke Risse so ausgebessert werden, dass sich eine schöne und glatte Oberfläche ergibt.

Das Verleimen

Ganz vermeiden lassen sich Risse bei größeren Figuren nur, wenn der Holzblock – der Rohling – in der gewünschten Größe aus mehreren starken Brettern oder Bohlen zusammengesetzt wird. Wichtig ist dabei, dass die Teilstücke gut getrocknet sind und dass sie nach bestimmten Regeln zusammengefügt und verleimt werden. Um hier nichts falsch zu machen, sind einige Kenntnisse über die Eigenschaften von Schnittholz nötig. Jedes Brett hat zwei Seiten, eine so genannte „rechte" und eine „linke" Seite, die sich daraus ergeben, welche Position das Brett ursprünglich im Stamm hatte. Die dem Stammkern zugewandte Seite ist die rechte Seite, die dem Kern abgewandte also die linke. Die ursprüngliche Position im Stamm ist an der Maserung zu erkennen und wird am besten beim Betrachten der Jahresringe am Hirnholz deutlich. Ein Brett mit stehenden – also eher senkrecht zur Fläche verlaufenden – Jahresringen wirft (verzieht) sich weniger als ein Brett mit eher liegenden Jahresringen. Am wenigsten arbeiten die Kernbretter, die zwei rechte Seiten haben. Die Markröhre muss hier allerdings entfernt werden.
Beim Verleimen von zwei Brettern

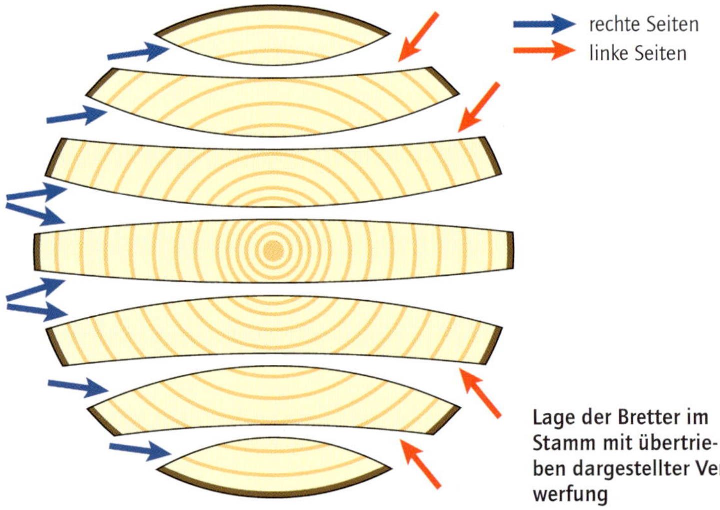

Lage der Bretter im Stamm mit übertrieben dargestellter Verwerfung

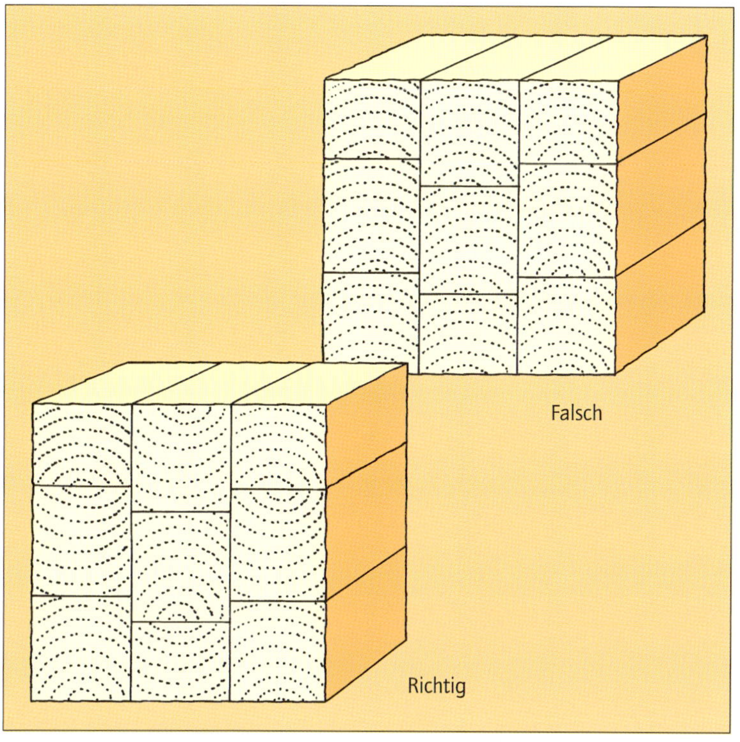

Werden mehrere Bohlen miteinander verleimt, muss immer Kern an Kern und Splint an Splint zu liegen kommen.

dürfen aber nur linke Seiten aneinander gefügt werden, niemals rechte Seiten, da sich ein Brett immer zur rechten Seite hin, also weg von der Kernrichtung, wölbt. Liegt also ein Brett auf einer geraden Fläche mit der rechten Seite nach oben, lässt es sich niemals „schaukeln", in der umgekehrten Position hingegen schon. Kommen zwei linke Seiten zusammen, wird die „Arbeitskraft" des Holzes gewissermaßen miteinbezogen und die Ränder pressen sich wie von selbst zusammen. Werden dagegen rechte Seiten zusammengeleimt, gehen eventuell irgendwann an den Rändern Fugen auf. Auch bei sehr gut getrockneten Brettern oder Bohlen lässt es sich nie vollständig ausschließen, dass das Holz schon allein durch die Veränderung der Luftfeuchtigkeit arbeitet.

Soll ein drittes Brett dazukommen, gibt es die Möglichkeit, die Bretter aufeinander „reiten" zu lassen, wobei eine rechte an eine linke Seite gefügt wird. Dabei wölben sich dann die Bretter in die gleiche Richtung.

Beim Verleimen vieler Bretter oder Bohlen zu einem Holzblock muss anders vorgegangen werden. Hier wird rechte Seite an rechte Seite und linke Seite an linke Seite gefügt. Die Fugen der rechten Seiten gehen hier in der Regel nicht auf, da die Kraft des Holzes durch die Links-auf-links-Fügungen abgeschwächt wird. Am wenigsten Probleme machen Stücke mit stehenden Jahresringen, bei denen die Wahl der richtigen Seite vernachlässigt werden kann.

Die beschriebenen Regeln gelten im Prinzip auch dann, wenn ein kleineres Holzstück an ein großes geleimt werden soll, um noch Holzmasse für ein abstehendes Körperteil zu bekommen. Auch hier sollte darauf geachtet werden, dass möglichst linke Seite auf linke Seite zu liegen kommt. Natürlich dürfen die Teile nur in paralleler Wuchsrichtung aneinander gefügt werden. Sie sollten auch möglichst vom gleichen Baum stammen, damit sie in Farbe und Maserung zueinander passen. Außerdem müssen Flächen, die verleimt werden sollen, gerade gehobelt oder (bei kleinen Stücken) geschliffen sein. Um kleine Flächen zu schleifen, sollte man das Schleifpapier auf eine ebene Fläche, z. B. die Schnitzbank, legen und mit dem Holzstück gleichmäßig und kräftig darüber fahren. Auf keinen Fall darf die Fläche, die verleimt werden soll, uneben sein oder gar abgerundet werden. Hirnholzflächen können grundsätzlich nicht verleimt werden, da hier der Leim nicht wirken kann, denn die Wirkung von Holzleim beruht nicht auf einer chemischen Klebewirkung, sondern auf der ganz feinen Verzahnung der nur langsam erhärtenden Leimmasse im Holz. Liegt die Position der einzelnen Teile fest, werden beide bzw. alle Flächen gleichmäßig mit Holzleim bestrichen und dann mit Schraubzwingen oder der Vorderzange der Schnitzbank so lange fest zusammengepresst, bis der Leim trocken ist. Der Trocknungsprozess kann – je nach Größe der Leimfläche – bis zu mehreren Stunden dauern. An den Leimfugen austretende Leimreste müssen sofort, also noch bevor sie fest werden, mit einem feuchten Schwamm entfernt werden. Ist der Leim fest und trocken, wird der Holzblock ausgespannt und es kann mit dem Schnitzen begonnen werden. Meist ist an der fertigen Holzfigur von den Leimfugen fast nichts mehr zu sehen – es sei denn, die Teile passen nicht exakt aufeinander oder die Holzstücke haben eine zu unterschiedliche Färbung. Auf die verleimten Stellen muss beim Schnitzen keine Rücksicht genommen werden, da sie weniger zum Abbrechen neigen als das Holz insgesamt.

Übersichtlich und sauber

Der Arbeitsplatz

Das Schnitzen von Holzfiguren ist sowohl eine anspruchsvolle handwerkliche als auch künstlerische Tätigkeit und entsprechend wichtig ist ein passender Arbeitsplatz. Dieser Platz muss – anders als etwa beim Schreinern – nicht besonders groß sein, aber einige Grundvoraussetzungen sollten doch erfüllt werden. Am besten haben es natürlich Hobbyschnitzer, die schon über eine eingerichtete Werkstatt verfügen. Doch auch wer keine eigene Werkstatt hat, kann sich ein geeignetes Plätzchen schaffen. Unumgänglich ist dabei eine Vorrichtung, um das zu bearbeitende Holzstück zu befestigen. Dazu ist natürlich eine richtige Schnitzbank am besten geeignet. Sie hat die richtige Höhe, um bequem arbeiten zu können, eine große Arbeitsfläche aus Holz und – am wichtigsten – eine Vorderzange sowie zwei Bankhaken mit einer Anzahl dazu passender Banklöcher, um die Holzfigur optimal einzuspannen. Ein weiterer Vorteil ist ihr hohes Gewicht, welches verhindert, dass sie bei der Arbeit, z. B. durch kräftiges Schlagen mit dem Klüpfel, von der Stelle gerückt wird. Die nicht ganz billige Anschaffung einer Schnitzbank lohnt sich allerdings nur, wenn sie regelmäßig und über längere Zeit genutzt wird. Deshalb sollte man erwägen, ob eine gemeinsame Anschaffung und Benutzung durch mehrere Personen sinnvoll ist.
Fast ebenso gute Dienste wie eine Schnitzbank leistet eine leicht umgerüstete Hobelbank. Sie verfügt mit der Hinterzange sogar noch über eine zusätzliche, wenn auch weniger geeignete Einspannmöglichkeit und hat ansonsten alle Vorteile einer Schnitzbank. Allerdings ist sie für einen Erwachsenen zu niedrig und sollte deshalb z. B. mit Hilfe von dicken Bohlen erhöht werden. Das Gleiche empfiehlt sich auch für die Schnitzbank, wenn der Besitzer besonders groß ist. Wer sehr oft schnitzt, bekommt sonst durch die ständig gebückte Haltung unweigerlich Rückenschmerzen.
Stehen weder Schnitz- noch Hobelbank zur Verfügung, kann auch eine einfache (meist zusammenklappbare) Werkbank aus Metall, die es in Baumärkten relativ günstig zu kaufen gibt, gute Dienste leisten. Auch sie hat Vorrichtungen zum Einspannen des Werkstücks. Für den Anfang tut es aber auch ein fester Tisch, an dem das Holzstück mit Schraubzwingen befestigt wird. Dies kann aber nur eine behelfsmäßige Lösung sein, da die Schraubzwingen bei der Arbeit stören. Eine bessere Lösung ist es, in die Tischplatte (sofern es sich nicht um einen wertvollen Tisch handelt) ein größeres Loch zu bohren, um das Holz mit einer Figurenschraube befestigen zu können.
Als Nächstes ist die Frage zu klären, wo die Schnitzbank stehen soll. Auch hier werden die Voraussetzungen nicht immer den Wünschen entsprechen. Am besten geeignet ist ein separater Raum, möglichst mit großen Fenstern und Oberlicht, einem robusten Holzboden, weit weg von lärmempfindlichen Mitmenschen, der gut heizbar und trocken ist.

Damit sind schon alle wichtigen Aspekte genannt, die den Arbeitsplatz beeinflussen können. Eine Grundvoraussetzung für gutes und sicheres Arbeiten ist genügend Licht. Wem nur ein dunkler Kellerraum zur Verfügung steht, sollte über der Schnitz- oder Werkbank eine sehr helle, möglichst tageslichtähnliche Beleuchtung anbringen. Unabhängig vom Raum muss die Werkbank so aufgestellt werden, dass das Licht von einem Fenster oder einer Lampe von vorn links oder von oben einfällt, sodass man bei der Arbeit nicht durch den eigenen Schatten behindert wird. Vor allem bei feineren Schnitzarbeiten können sich schlechte Lichtverhältnisse sehr störend auswirken.
Zudem muss darauf geachtet werden, dass der Boden leicht von Spänen gereinigt werden kann; ein Teppichboden ist also denkbar ungeeignet. Holzdielen sind schon deshalb am angenehmsten, weil sie bei langem Stehen an der Schnitzbank die Füße nicht zu sehr auskühlen. In Kellerräumen mit Betonboden kann die von unten aufsteigende Kälte recht unangenehm werden. Sehr umständlich und für den Spaß an der Arbeit eher hinderlich ist es, wenn beim Schnitzen Rücksicht auf den Raum genommen werden muss, wenn die Werkbank beispielsweise in einem Wohnraum steht, wo dann Späne und Holzstaub sofort stören. Hier sollte man besser einem ansonsten ungünstigeren, aber von der übrigen Wohnung abgetrennten Raum den Vorzug geben. Ganz ähnlich verhält es sich in Bezug auf die Lärmbelästigung. Vor allem das grobe Herausarbeiten einer Figur mit dem Klüpfel kann im Gegensatz zum Schnitzen selbst recht laut werden. Wer dabei ständig darauf bedacht sein muss, keinen Lärm zu machen, kann nicht mehr unbefangen arbeiten und verliert schnell die Freude daran.
Bei der Einrichtung der Werkstatt sollten alle notwendigen Werkzeuge, aber auch ein angemessener Holzvorrat in greifbarer Nähe untergebracht werden. Dabei bietet es sich an, häufig benötigtes Werkzeug an der Wand aufzuhängen. Eventuell vorhandene große und laute Maschinen wie eine Bandsäge oder eine Hobelmaschine sollten sich nach Möglichkeit in einem abgetrennten Raum befinden. Das Gleiche gilt für die Schleifmaschine, da sie Metallstaub produziert, der die Schärfe offen herumliegender Schnitzwerkzeuge beeinträchtigen kann. Ist dies nicht möglich, sollten Maschinen wenigstens weiter entfernt von der Schnitzbank aufgestellt werden. Ein Wasseranschluss ist ebenfalls erforderlich, um die Schnitzeisen beim Schleifen kühlen zu können.

Tipp Werkstattnutzung

Da das Schnitzen relativ wenig Platz beansprucht, bietet sich eine Gemeinschaftswerkstatt mit anderen Holzhandwerkern als (meist auch preiswerte) Lösung an. Eine solche Werkstatt hat auch den Vorteil, dass nützliche Maschinen wie etwa eine Bandsäge eventuell schon vorhanden sind bzw. gemeinsam genutzt werden können. Allerdings sollten die handwerklichen Tätigkeiten der Werkstattbenutzer möglichst zusammenpassen.

Die Schnitzbank ist mit allen nötigen Vorrichtungen zum Einspannen ausgestattet und hat die richtige Arbeitshöhe.

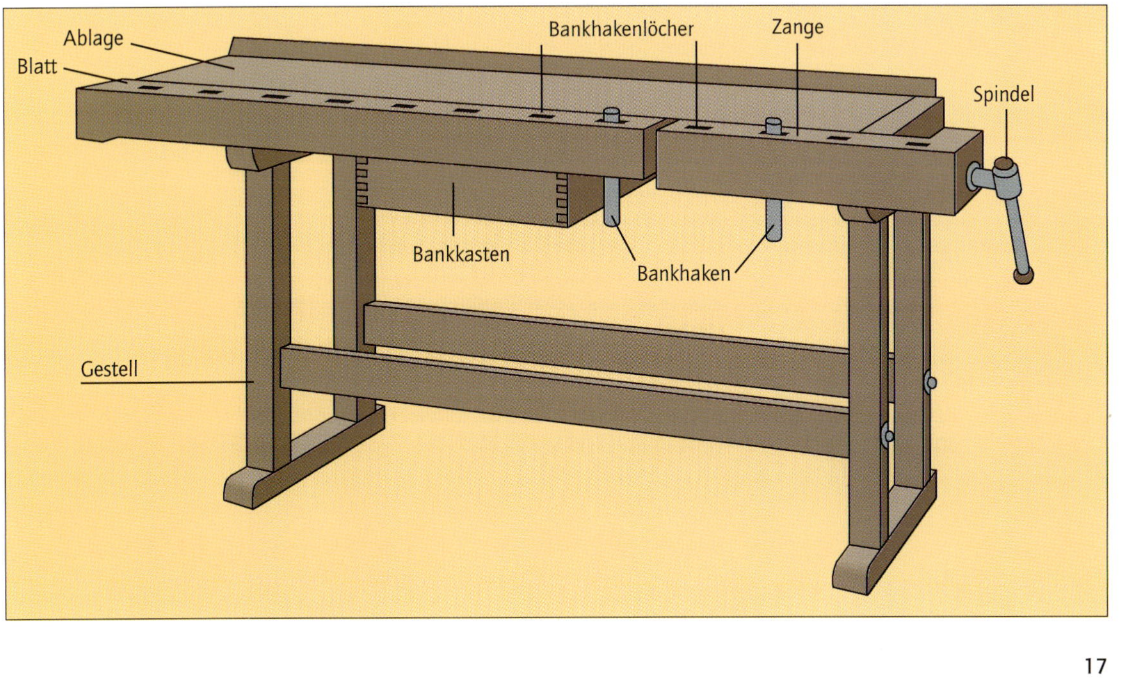

Schnitzeisen und andere Hilfsmittel

Die Werkzeuge

Von der Qualität des zur Verfügung stehenden Schnitzwerkzeugs hängt nicht nur das Gelingen der Arbeit, sondern auch der Spaß daran ab. Deshalb lohnt es sich, große Sorgfalt bei der richtigen Auswahl walten zu lassen. Das am häufigsten gebrauchte Werkzeug des Holzschnitzers ist das „Schnitzeisen", das in den verschiedensten Formen und Größen zu haben ist. Es wird oft irrtümlich auch als „Messer" bezeichnet. Schnitzmesser gibt es zwar auch, doch werden sie nur zum Aus-der-Hand-Schnitzen kleiner Figürchen, also ohne Einspannen des Holzstücks, eingesetzt. Diese Art des Schnitzens kann sehr reizvoll sein – bei Figuren, die über die Größe kleiner Spielzeugtierchen hinausgehen, kommt man damit aber nicht sehr weit.

Eine Auswahl von Balleisen; eines der Eisen ist schräg angeschliffen.

Die verschiedenen Formen der Schnitzeisen lassen sich in mehrere Kategorien einteilen. Dabei ist zunächst die Krümmung des Eisens, also der „Stich" von Bedeutung. Er wird durch Zahlen von 1 bis 12 gekennzeichnet. Je stärker die Krümmung des Eisens, desto höher die Zahl. Gerade Eisen haben Stich 1 und werden „Balleisen" genannt. Schräg angeschliffene Balleisen haben Stich 2. Leicht gekrümmte Eisen zwischen Stich 2 $^1/_2$ und 5 bezeichnet man als „Flacheisen", stärker gekrümmte zwischen Stich 6 und 9 sind „Hohleisen" und ganz stark gekrümmte Eisen, die wie ein U geformt sind, nennt man „Hohlbohrer". Jede dieser Ausprägungen gibt es in verschiedenen Breiten. Die Breite des Schnitzeisens wird in Millimetern angegeben. Die schmalsten Eisen sind nur ca. 2 mm breit, die breitesten normalerweise ca. 40 mm. Spezielle Bildhauereisen wie Tiroler und Schweizer Eisen haben eine Breite zwischen 50 und 70 mm (oder auch noch darüber). Außerdem gibt es noch den „Geißfuß", der nicht rund, sondern wie ein V spitz geformt ist, wobei der Winkel der beiden Schenkel ebenso wie die Breite variiert. Die untere Spitze kann entweder scharfkantig oder rund geformt sein.

Alle genannten Schnitzeisenformen können zusätzlich noch „gekröpft" oder über die ganze Länge gebogen sein. Gekröpfte Eisen haben von der Seite gesehen am vorderen Ende eine geschwungene Form, ähnlich einem Löffel, und dementsprechend werden sie auch verwendet, nämlich vorwiegend zum Herausschälen der Innenform bei Gefäßen. Gebogene Eisen sind dazu ebenfalls geeignet. In der Tierschnitzerei sind solche Eisen nur für Reliefs interessant, etwa um die Hintergrundfläche zu bearbeiten. Für die Bearbeitung konvexer Formen innerhalb einer Höhlung gibt es auch „umgekehrt gekröpfte" Eisen, die auf der oberen Seite angeschliffen sind. Mit ihrer Hilfe kann z. B. ein halbkugelförmiger Kopf innerhalb eines tiefen Reliefs saubergeschnitten werden.

So unterschiedlich die Form der Eisen ist, so unterschiedlich ist

Tipp Kennzeichnung

Unter Holzschnitzern ist es üblich, seine Schnitzeisen einheitlich zu kennzeichnen, um z. B. in Gemeinschaftswerkstätten oder bei Schnitzkursen Verwechslungen zu vermeiden. Dazu wird das persönliche Zeichen (etwa der Anfangsbuchstabe des Namens) in jeden Werkzeuggriff entweder mit einem kleinen Geißfuß eingekerbt oder auch mit heißem Draht eingebrannt.

Das Hohleisen hat eine deutliche Krümmung der Schneide.

Das gekröpfte Eisen wird vor allem für Reliefs und Gefäße verwendet.

Das Flacheisen hat nur eine leichte Krümmung der Schneide.

auch ihr Bestimmungszweck. Ganz breite, schwere Eisen werden nur zusammen mit dem Klüpfel zum Wegschlagen großer Holzmassen benötigt. Kleinere Eisen dienen der Feinarbeit oder den Zierschnitten an einer Figur und sind auch für Kerbschnitzereien geeignet. Am vielseitigsten lassen sich mittelgroße, nicht gekröpfte Eisen verwenden. Sie können einerseits zusammen mit dem Klüpfel zum Herausarbeiten der gewünschten Form und andererseits zum Schnitzen der kleineren Teile sowie der Oberfläche benutzt werden. Hohleisen oder Hohlbohrer werden in der Regel eher zum Herausarbeiten der Form, mittelbreite bis kleine Flacheisen zum Glattschneiden der Oberfläche eingesetzt. Dabei gilt, dass immer das Eisen mit der zur Form passenden Krümmung gewählt werden sollte.
Wer sich Schnitzeisen zulegen möchte, hat die Wahl zwischen verschiedenen Anbietern, deren Werkzeuge sich in der Qualität stark unterscheiden. Relativ preisgünstig sind z. B. Dastra- oder Kirsche-Eisen, qualitativ weitaus besser und deshalb eigentlich empfehlenswerter sind z. B. die Werkzeuge der Schweizer Marke Pfeil. Sie können schon fertig geschliffen geliefert werden und haben eine deutlich höhere Festigkeit und Dauerhaftigkeit in der Schärfe. Schnitzeisen sind im Grunde genommen eine Anschaffung fürs Leben, weshalb hier der Preis nicht die erste Rolle spielen sollte. Ein Schnitzeisen, das wegen schlechter Härteeigenschaften ständig nachgeschliffen werden muss, kann die Freude am Schnitzen ziemlich stark beeinträchtigen.
Die derzeit besten auf dem Markt erhältlichen Schnitzeisen kommen übrigens aus Japan, wo das Härten und Schärfen von Werkzeug traditionell mit höchster Kunstfertigkeit ausgeübt wird. Entsprechend hoch ist allerdings auch der Preis, der für Hobbyschnitzer in keinem vernünftigen Verhältnis mehr zum Nutzen steht.
Für den Anfänger empfiehlt sich zunächst die Anschaffung eines kleineren Schnitzeisensatzes, der möglichst verschiedene Größen und Stiche, einen Geißfuß und möglichst auch ein gekröpftes Eisen umfassen sollte. Vielseitig einsetzbar ist beispeisweise die folgende Zusammenstellung von Schnitzeisen:

- Stich 2 ½/35 mm
- Stich 2 ½/12 mm
- Stich 3/20 mm
- Stich 4/20 mm
- Stich 5/10 mm
- Stich 7/30 mm
- Stich 7/12 mm
- Stich 8/4 mm
- Stich 11/18 mm
- Stich 11/10 mm
- Stich 11/2 mm
- Geißfuß 60°/10 mm
- gekröpft 3/16 mm
- gekröpft 9/5 mm

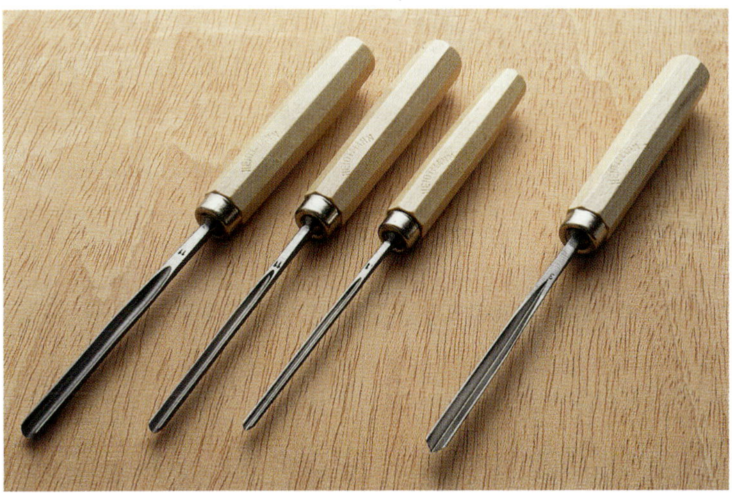

Hohlbohrer und Geißfuß

Gekröpftes und verkehrt gekröpftes Eisen

Breite Bildhauereisen: Tiroler und Schweizer Eisen

Mit diesen Eisen lassen sich im Grunde alle wichtigen Arbeitsschritte beim Schnitzen kleiner bis mittelgroßer Tiere sowie eines Reliefs ausführen. Trotzdem sind solche Empfehlungen mit Vorsicht zu genießen, denn jeder Schnitzer entwickelt im Lauf der Zeit eigene Vorlieben für bestimme Eisen und damit verbundene Arbeitsweisen. Manche Schnitzer bevorzugen eine lebendige Oberfläche und verwenden dann nur stärker gewölbte Eisen, andere legen Wert auf eine perfekte, glatte Oberfläche und benötigen deshalb eine Vielzahl flacher Eisen. Für das Herausarbeiten großer Figuren wiederum genügen meist zwei bis drei große Bildhauereisen mit unterschiedlichem Stich. Deshalb ist es besser, sich zunächst keine allzu große Zahl von Eisen anzuschaffen, sondern die Auswahl nach und nach individuell zu ergänzen. Neben den Schnitzeisen sollte auch ein Schnitzmesser auf keinen Fall fehlen. Es ist nicht nur zum Schnitzen ganz kleiner Tierfiguren das einzig passende Werkzeug, sondern kann auch bei allen möglichen anderen Arbeiten an einer Figur sehr nützliche Dienste leisten, etwa bei der endgültigen Fertigstellung von Hufen oder Tatzen oder beim Sauberschneiden schwer zugänglicher, schmaler Stellen. Am handlichsten auch für ungeübte Hände sind so genannte „Rosenmesser", die eine längliche, schmale Klinge mit gerader Schneide besitzen. Der Messerrücken wölbt sich flach zur Messerspitze; dadurch haben diese Messer eine längliche Spitze, die beim Sauberschneiden kleinster Details sehr hilfreich ist. Größere Schnitzmesser mit einer breiteren Klinge und einer steileren Wölbung des Messerrückens sind dagegen um einiges

Diese Ledertasche von Pfeil-Eisen ist praktisch und äußerst strapazierfähig.

Tipp Werkzeugtasche

Es ist sinnvoll, mehr Fächer im Rolletui vorzusehen als anfangs tatsächlich benötigt werden, um noch Platz für spätere Zukäufe zu haben. Mehr als etwa 40 Schnitzeisen sollten jedoch nicht in einem Etui untergebracht werden, da sonst das Zusammen- und Auseinanderrollen zu umständlich und das Etui zu groß wird.

schwieriger zu handhaben und erfordern mehr Kraft.
Für die Unterbringung der Eisen und Messer ist eine passende aufrollbare Tasche aus festem Stoff oder aus Leder mit einer genügenden Anzahl an einzelnen Fächern zu empfehlen. Darin können die Eisen nicht nur übersichtlich und sicher verwahrt und transportiert werden, sondern sie sind auch vor Feuchtigkeit und Staub geschützt. Beim Kauf eines fertigen Schnitzeisensatzes wird das passende Rolletui in der Regel mitgeliefert. Wer sich sein Werkzeug selbst zusammenstellt, kann sich ein solches Etui auch ohne große Nähkenntnisse selbst anfertigen. Dazu muss ein sehr fester, strapazierfähiger Stoff verwendet werden. Für jedes Schnitzeisen oder -messer ist ein abgetrenntes kleines Fach notwendig, in dem es sicher aufbewahrt werden kann. Diese Fächer können ganz einfach durch Abnähen des zuvor auf beiden Seiten eingeschlagenen Stoffes hergestellt werden. So entstehen zwei sich gegenüberliegende Reihen. Die einzelnen Fächer sollten jedoch weder zu weit noch zu eng ausgelegt sein, sodass die Schnitzeisen sicher verwahrt sind, sich aber trotzdem noch problemlos herausnehmen lassen. Da die Eisen mit dem Griff, also mit der Schneide nach außen, eingesteckt werden, dürfen die Fächer der beiden Reihen sich nicht genau gegenüberliegen, sondern müssen versetzt angeordnet sein. Der Abstand zwischen den beiden Fachreihen muss so klein bemessen werden, dass jede Schneide zwischen den Griffen der gegenüberliegenden Eisen liegt. Auf diese Weise können die Schneiden sich nicht gegenseitig beschädigen.

Klüpfel, Taster und Figurenschraube

Neben den Schnitzeisen spielt auch der Klüpfel eine wichtige Rolle. Auch ihn gibt es je nach Verwendungszweck in verschiedenen Formen – von leicht und schmal bis schwer und dick. Schwere Klüpfel werden eingesetzt, um das Eindringen des Bildhauereisens in das Holz zu erleichtern bzw. bei sehr großen Bildhauereisen oder sehr harten Hölzern überhaupt erst möglich zu machen. Nur mit seiner Hilfe können große Holzstücke weggeschlagen werden. Kleinere und leichtere Klüpfel sind zum Herausarbeiten der einzelnen Formen sehr hilfreich. Manche Bildhauer arbeiten nur mit dem Klüpfel, sie schlagen also die Figur komplett aus dem Holz, statt sie herauszuschnitzen. Dabei ist es durchaus möglich, mit einem leichten Klüpfel auch detaillierte Formen und eine schöne Oberfläche zu erreichen. Schwere Klüpfel sind in der Regel aus Hartholz wie Rotbuche oder Ahorn gedrechselt. Bei kleineren Klüpfeln, die nicht so stark beansprucht werden, spielt die Härte und Schwere des Holzes keine so wichtige Rolle. Viel verwendete Klüpfel nutzen sich mit der Zeit stark ab und werden an den beanspruchten Stellen rissig und hohl.
Ein weiteres wichtiges Hilfsmittel für den Schnitzer ist die Figurenschraube, um eine Figur frei einspannen zu können. Für große Figuren gibt es Figurenschrauben zu kaufen, für kleine Figuren kann man sie sich auch selbst herstellen. Sie bestehen aus einer Metallschraube, die von unten in das Holzstück hineingedreht wird, und einer Flügelmutter, mit deren Hilfe das Werkstück an der Schnitzbank befestigt werden kann. Ergänzend dazu gibt es so genannte „Galgen". Dies sind Vorrichtungen aus Holz mit einem Scharniergelenk, die in die Schnitzbank eingespannt werden. An dem beweglichen Arm wird dann mit Hilfe der Figurenschraube der Rohling befestigt und jeweils in eine für die Bearbeitung optimale Position gebracht. Nützlich sind auch Zirkel und spezielle Figurentaster, die dazu dienen, die Maße eines Modells auf die Holzfigur zu übertragen. Der Figurentaster funktioniert ähnlich wie ein Zirkel, hat aber nach innen gewölbte Schenkel.

Klüpfel aus Apfelholz mit Hartgummieinsatz und stark abgenutzter Klüpfel aus Buchenholz

Kleine und große Figurenschraube zum Befestigen von Figuren

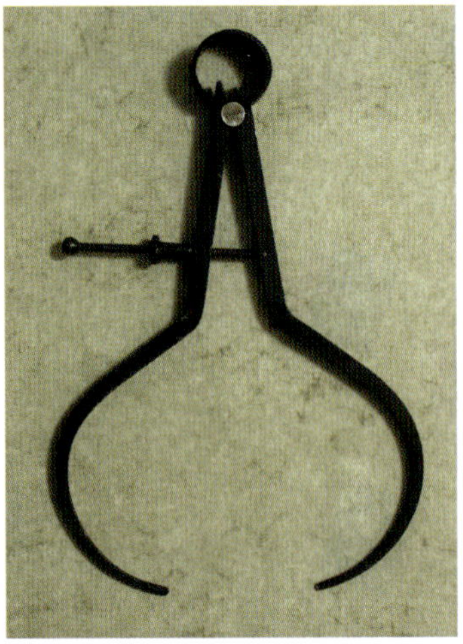

Mit dem Taster können die Proportionen exakt übertragen werden.

Zum Verleimen größerer Holzblöcke sollten mehrere Schraubzwingen in verschiedenen Größen zur Verfügung stehen. Zum Verleimen kleiner Holzstücke sind Rahmenklemmen, ebenfalls in verschiedenen Größen, sehr gut geeignet. Um sie spannen und exakt ansetzen zu können, wird zusätzlich ein Klemmenspanner benötigt. Diese Klemmen, die eigentlich zur Herstellung von Holzrahmen gedacht sind, sind zum Wiederanleimen abgebrochener oder auch versehentlich abgeschnittener kleiner Holzstücke unentbehrlich. Mit ihrer Hilfe können selbst schwierige Stellen wieder ausgebessert werden, sodass der Schaden kaum noch erkennbar ist (siehe S. 48/49).

Mit Hilfe der Rahmenklemmen können kleinere Holzteile verleimt werden.

Das Schleifen der Eisen

Schnitzeisen werden im Handel ungeschliffen oder vorgeschliffen angeboten. Doch auch wenn man vorgeschliffene Eisen erwirbt, wird man sich bald um das Schleifen kümmern müssen, da jede Schneide durch die Benutzung an Schärfe verliert, also immer wieder nachgeschliffen werden muss. Das Schleifen von Schnitzeisen erfordert viel Feingefühl und kann nur durch längere Übung erlernt werden. Viele Holzschnitzer bevorzugen die traditionelle Schleifmaschine, bei der ein aufrecht stehender Schleifstein durch ein Wasserbecken läuft. Für Anfänger ist aber eine kleinere Maschine mit waagerechter Schleifscheibe – eine Sichtschleifmaschine – eher zu empfehlen. Sie ermöglicht zwar keinen „Hohlschliff", ist aber einfacher zu handhaben, da bei ihr die angeschliffene Fläche, also die Fase, ständig beobachtet werden kann. Ihre Schleifscheibe hat regelmäßige Durchbrüche, die bei schneller Drehbewegung dazu führen, dass sie gewissermaßen durchsichtig wird.
Sowohl bei ungeschliffenen neuen als auch bei gebrauchten, schartigen Schnitzeisen muss zunächst die Fase angeschliffen werden. Bei dieser Arbeit muss eine Schutzbrille getragen werden, um die Augen vor kleinen Metallpartikeln und Funken zu schützen. Schnitzeisen werden grundsätzlich deutlich länger, also mit längerer Fase, angeschliffen als z. B. Stemmeisen. Je länger ein Schnitzeisen angeschliffen wird, umso besser schneidet es, bricht aber auch umso leichter aus oder wird schartig. Deshalb ist für die Bearbeitung weicher Hölzer wie Linde eine längere Fase sinnvoll. Bei Harthölzern wie Eiche sollte eine etwas kürzere Fase angeschliffen werden, vor allem wenn das betreffende Schnitzeisen keine Spitzenqualität hat. Zum Schleifen wird das Eisen mit der Schneide an die Schleifscheibe herangeführt und dort unter mäßigem Druck langsam hin und her bewegt, möglichst ohne den Ansatzwinkel zu verändern. Beim Schleifen besteht allerdings die Gefahr, dass das Eisen verbrennt und blau anläuft. An den blau angelaufenen Stellen verliert es seine Härte und wird also unbrauchbar. Die betreffenden Stellen müssen dann komplett weggeschliffen werden. Um das Anlaufen zu verhindern, muss das Eisen regelmäßig in einem Gefäß mit kaltem Wasser gekühlt werden. Es sollte eine einheitliche Fase ohne Kanten entstehen, an deren Spitze sich schließlich ein Grat in Form kleiner schwarzer Metallhärchen bildet. Er wird anschließend mit Hilfe des Handschleifsteins abgezogen. Zum Abziehen ist ein Sandschleifstein wie der „Belgische Brocken" am besten geeignet. Wer eine spezielle Form wünscht, kann sich den Schleifstein auch bei einem Steinmetz entsprechend zuschneiden lassen. So hat es sich bewährt, an einem rechteckigen Belgischen Brocken eine etwa 5 cm breite schräge Fläche schneiden zu lassen, auf der dann Hohleisen und Hohlbohrer abgezogen werden können. Die übrig gebliebene Fläche kann für Flacheisen, die Rückseite für Balleisen verwendet werden. Dies ist deshalb sinnvoll, weil der Stein durch häufiges Schleifen gewölbter Eisen je nach Form des Eisens Rillen und Mulden bekommt, die ihn dann für das

Anschleifen der Fase mit der Sichtschleifmaschine

Schleifen von Balleisen ungeeignet machen. Für die Innenseite von Hohleisen, Hohlbohrern und Geißfüßen gibt es speziell geformte Abziehsteine.

Der Abziehstein muss beim Abziehen ständig durch genügend Flüssigkeit nass gehalten werden, damit er nicht zerkratzt und am Eisen die gewünschte Schärfe erreicht wird. Je nach Art des Steins kann als Schleifflüssigkeit Wasser, Öl oder auch Petroleum verwendet werden. Dabei sollte jedoch darauf geachtet werden, dass der Stein nicht in direkte Berührung mit der Schnitzbank kommt, da sie sich sonst verziehen kann. Da beim Abziehen viel Flüssigkeit vom Abziehstein tropft, sollte diese Arbeit auch nicht direkt über der Schnitzbank erfolgen.

Das Schnitzeisen wird mit der linken Hand festgehalten und der Stein mit der rechten Hand gleichmäßig am Eisen auf und ab bewegt, immer abwechselnd an beiden Seiten des Grats. Der Stein muss dabei flach entweder auf der Fase oder – innen – auf der Gesamtfläche aufliegen. Um Verletzungen zu vermeiden, müssen die Finger am Stein eingeknickt werden. Nach einiger Übung stellt sich ein Gefühl dafür ein, ob das Eisen im richtigen Winkel zum Stein gehalten wird. Hält man es zu flach, kann der Stein den Grat nicht richtig erfassen, hält man es zu steil, wird die Schneide stumpf. An der Innenseite des Eisens muss der Stein dagegen ganz flach aufliegen, wobei ein stärkerer Druck in Richtung der Schneide erlaubt ist. Ist der Grat vollständig abgeschliffen, wird die Schärfe ganz vorsichtig mit der Fingerkuppe geprüft. Die Schneide muss völlig glatt an der Haut entlanglaufen. Anschließend wird das Eisen von beiden Seiten über ein Leder gezogen. Am besten eignet sich dazu ein Leder, das auf eine zuvor in die passende Form geschnitzte Holzleiste geklebt wurde. Die Leiste sollte auf einer Seite Vertiefungen und Wölbungen für die Hohleisen und Hohlbohrer haben und kann – je nach Geschmack – auch noch mit einem handlichen Griff versehen werden.

Zur abschließenden Prüfung der Schärfe wird die Schneide an einer Hirnholzfläche getestet. Erst wenn die Schnittfläche keine weißen Linien mehr zeigt, ist sie wirklich scharf. Ein gut geschliffenes und abgezogenes Schnitzeisen erzeugt glatte und glänzende Schnitte.

Tipp Nachschärfen

Ein selbst gefertigtes Lederbrett leistet gute Dienste zum Nachschärfen der Eisen, wenn die Schärfe beim Schnitzen zwar etwas nachlässt, das Eisen aber noch nicht unbedingt geschliffen werden muss.

Abziehen eines Eisens mit dem Schleifstein

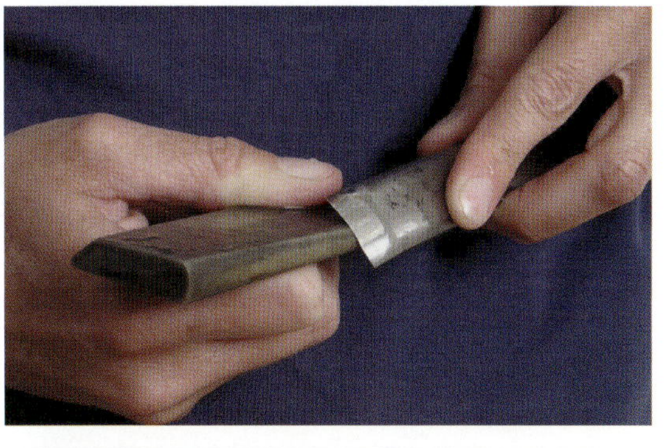

Abziehen des Eisens von innen

Die Schärfe der Schneide wird am Hirnholz geprüft.

Holzbearbeitungsmaschinen

Im Grunde können Holzschnitzer ohne Maschinen auskommen. Früher verwendeten Schnitzer Beil und Handsäge, um ihr Holz auf die richtige Größe zu bringen. Durch die modernen Holzbearbeitungsmaschinen kann der Aufwand beim Zuschnitt natürlich sehr reduziert werden. Mit Hilfe einer Kettensäge können Holzstämme oder zu lange Bohlen auf die richtige Länge geschnitten werden. Kettensägen gibt es in verschiedenen Größen sowohl als Motorsägen, die für die Anwendung im Freien bestimmt sind und mit Benzin betrieben werden, als auch als Elektrosägen für den Gebrauch in der Werkstatt. Viele Holzbildhauer erarbeiten große Figuren nur noch mit der Kettensäge, deren Spuren eine sehr lebendige und reizvolle Oberflächenstruktur ergeben. Für sehr große Tierfiguren ist sie unumgänglich, um die gröbste Holzmasse zu entfernen.
Sehr hilfreich ist auch eine Bandsäge. Mit ihr lassen sich Werkstücke gleich in die gewünschte Form schneiden. Die vor allem für Anfänger ermüdende Grobarbeit kann so eingeschränkt werden. Wer viel Holz verleimt oder häufig Reliefs oder andere Dinge schnitzt, für die eine glatte Oberfläche benötigt wird, sollte eine Hobelmaschine zur Verfügung haben.

Tipp Hinweise zur Sicherheit

Das Schnitzen ist eine weit weniger gefährliche Tätigkeit als z. B. das Schreinern, bei dem die Arbeit an Holzbearbeitungsmaschinen eine große Rolle spielt. Die Verletzungsgefahr ist beim Schnitzen zwar relativ hoch, doch meist fügt man sich nur kleine, harmlose Schnitte zu, die bald wieder verheilt und vergessen sind. Größere und tiefe Schnitte sollten allerdings wegen der Infektionsgefahr vom Arzt behandelt und gegebenenfalls genäht werden, damit keine hässlichen Narben zurückbleiben. Dauerhafte gesundheitliche Schäden lassen sich dann nicht ganz ausschließen, wenn Sehnen oder wichtige Nerven durchtrennt werden, was allerdings äußerst selten vorkommt. Am häufigsten schneidet man sich übrigens beim Schleifen der Schnitzeisen mit dem Abziehstein. Um die Gefahr möglichst gering zu halten, sollte man folgende Hinweise beachten:

- Gute Lichtverhältnisse am Arbeitsplatz sind die Voraussetzung für sicheres Arbeiten.
- Es dürfen ausschließlich gut gewartete Maschinen mit TÜV-Siegel eingesetzt werden.
- Beim Schleifen der Schnitzeisen muss ständig mit höchster Konzentration gearbeitet werden.
- Herunterfallende Schnitzeisen dürfen niemals mit den Händen aufgefangen werden, da hierbei höchste Verletzungsgefahr besteht. Die beste Reaktion ist schnelles Zurückspringen, um nicht nur die Hände, sondern auch die Füße zu schützen.
- Festes Schuhwerk dient der Sicherheit beim Schnitzen.
- Es sollten ausschließlich gut geschliffene Schnitzeisen verwendet werden, denn nur sie ermöglichen ein glattes und damit sicheres Arbeiten.
- Es muss immer vom Körper weg geschnitzt werden, ganz besonders bei der Arbeit mit dem Klüpfel.
- Schnitzeisen müssen grundsätzlich mit beiden Händen festgehalten und mit den Handballen abgesichert werden (s. Seite 32).
- Keinesfalls darf unter Alkoholeinfluss gearbeitet werden. Auch das Schnitzen wird mit unsicheren Händen gefährlicher.
- Es ist höchst gefährlich, in eine laufende Maschine zu fassen!
- Vollständiges Verbandszeug sollte immer griffbereit liegen.
- Offenes Feuer in der Werkstatt erhöht die Brandgefahr, denn Holzspäne brennen schnell und lichterloh.

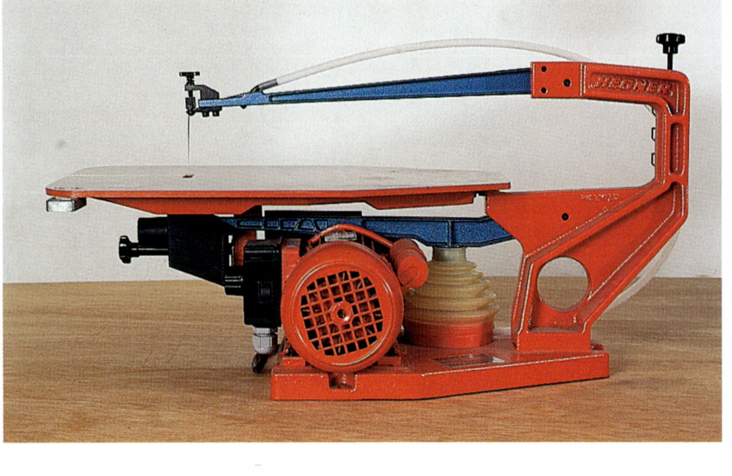

Dekupiersäge zum Vorsägen kleiner Figuren

Bei all diesen Holzbearbeitungsmaschinen müssen höchste Sicherheitsstandards eingehalten werden, die in den Leitfäden der Berufsgenossenschaften und den Gebrauchsanweisungen nachzulesen sind. Für den Umgang mit großen Maschinen ist sogar ein Maschinenschein notwendig, d. h. die Benutzung durch Laien ist nicht zulässig und auch nicht versichert. Eine ideale Maschine, vor allem zum Aussägen kleiner Figuren, ist die Dekupiersäge. Sie ist so ungefährlich und leicht zu handhaben, dass sogar Kinder unter Aufsicht mit ihr arbeiten dürfen. Mit ihrem feinen Sägeblatt können detaillierte Umrisse exakt ausgesägt werden, allerdings nur bis zu einer bestimmten Holzstärke (normalerweise ca. 5 cm). Das Sägeblatt reißt dabei hin und wieder, kann aber problemlos ausgewechselt werden. Wer viel Freude am Schnitzen kleiner Tierfigürchen hat, sollte die Anschaffung dieser praktischen, vielseitigen und relativ preiswerten kleinen Maschine in Erwägung ziehen.

Materialien zur Oberflächenbehandlung

Neben dem Holz selbst finden noch weitere Materialien für Vorbereitungs- und Ausbesserungsarbeiten, Ergänzungen oder die Nachbehandlung einer Figur Ver-

Überschüssiges Öl wird mit einem Läppchen entfernt.

wendung. Für Modelle sollte ein kleiner Vorrat an Ton oder Plastilin bereitstehen. Unverzichtbar ist Holzleim wie etwa Ponal, der nicht nur zum Verleimen eines passenden Holzblocks, sondern auch für kleine Korrekturen häufig gebraucht wird. Dabei hat sich der klassische Holzleim, der einige Stunden zum Trocknen und Anziehen braucht, im Vergleich zu den Express-Leimen als dauerhafter erwiesen. Wer seine Figuren schleifen möchte, sollte einen Vorrat an grobem bis ganz feinem Schleifpapier zur Hand haben, unter Umständen auch Raspeln und Feilen in verschiedenen Formen. Beim Schleifen sollte immer ein Mundschutz getragen werden, da das Einatmen von Holzstaub – vor allem von Eiche und Buche – hochgradig Krebs erregend ist. Der Holzstaub mancher exotischer Hölzer ist sogar so giftig, dass er beim Einatmen unmittelbar zu gesundheitlichen Schäden führen kann. Deshalb ist es besser, vom Schleifen von Holzfiguren abzusehen. Beim Schnitzen fallen nur harmlose Späne an.
Ist eine Figur fertig geschnitzt, stellt sich häufig die Frage nach der Oberflächenbehandlung. Um hier eine breite Palette an Möglichkeiten zu haben, sollte ein kleiner Vorrat an Farben oder Holzbeizen verfügbar sein. Holz lässt sich – sofern es trocken und fettfrei ist – mit den verschiedensten Farben behandeln. Für eine eher zarte, lasierende Färbung sind Wasserfarben gut geeignet. Je nach gewünschter Farbintensität können sie entweder stark verdünnt oder kräftig aufgetragen werden, ohne dass Holzmaserung und natürlicher Holzcharakter völlig unter der Farbschicht verschwinden. Aquarellfarben haben eine besonders gute Qualität, sind aber auch kostspielig und deshalb nur für kleinere Figuren zu empfehlen. Gute Markenwasserfarben können ebenfalls problemlos verwendet werden. Auch Öl- und Temperafarben sind für die Bemalung von Holzfiguren bestens geeignet. Sie sollten gewählt werden, wenn eine kräftige, deckende Färbung gewünscht wird. Für einen gleichmäßigen Auftrag der Farbe können Borstenpinsel in verschiedenen Größen oder auch Schwämmchen verwendet werden, für die gezielte Bemalung z. B. von Körperteilen oder das Anbringen kleiner Farbtupfer auch Haarpinsel.
Sowohl zum Unterstreichen der Holzstruktur als auch zum Schutz des Holzes dienen verschiedene im Fachhandel erhältliche Holzöle und -wachse, wobei die Behandlung mit Öl die Maserung stärker hervorhebt als Wachs. Soll der Holzcharakter einer Figur möglichst wenig verändert werden, ist also eine Behandlung mit Holzwachs die beste Lösung. Flüssiges Wachs wird mit einem Pinsel aufgetragen, festes Wachs mit einem sauberen Läppchen. Etwas später wird die Oberfläche mit einer weichen Bürste, an glatten Flächen auch mit einem Lappen in Faserrichtung vorsichtig gebürstet bzw. poliert, sodass sie einen matten Glanz erhält. Wachse oder Öle

Durch eine Behandlung mit Öl tritt die Struktur des Holzes lebendig hervor.

Singvögel – hier Kohlmeise und Dompfaff – bemalt und dann gewachst. Ohne diese typische Farbgebung wären sie nur schwer zu bestimmen.

gegenüberliegende Seite: Diese Figur wurde unter Auslassung der Hauer dunkelbraun gebeizt.

können auch zur Nachbehandlung bemalter Figuren verwendet werden, allerdings erst, wenn die Farben gründlich abgetrocknet sind. Dabei muss unbedingt die jeweilige Gebrauchsanleitung beachtet werden. Wachsbeizen gibt es auch in verschiedenen Tönungen. Das Angebot an Mitteln, ob auf natürlicher oder chemischer Basis, ist beinahe unerschöpflich. Je nach Geschmack sollte hier jeder für sich ausprobieren, was ihm am besten gefällt.

Zeichnen und Modellieren

Die Vorbereitungen

Bevor mit dem Schnitzen begonnen werden kann, sind verschiedene Vorbereitungen nötig, um überhaupt eine klare Vorstellung davon zu gewinnen, wie die Figur aussehen soll. Auch ein erfahrener Schnitzer muss sich mit Hilfe von Zeichen- oder Tonskizzen an sein Motiv herantasten. Für den Anfänger ist es praktisch unmöglich, völlig frei, sozusagen „aus dem Kopf", eine Tierfigur aus einem Holzstück „herauszuschälen".
Eine wichtige und für die Motivwahl unbedingt notwendige Vorbereitung ist das Zeichnen. Ganz gleich, ob schon ein bestimmtes Tier in der Vorstellung existiert oder ob zunächst nur Anregungen gesucht werden – es ist auf jeden Fall sinnvoll, sich das Motiv zunächst mit dem Zeichenstift zu erschließen. Erfahrungsgemäß schrecken viele Hobbyschnitzer vor dieser Aufgabe zurück, mit dem Argument, sie könnten nicht zeichnen. Dabei spielt es überhaupt keine Rolle, ob die Zeichnung selbst zufrieden stellend ausfällt. Wichtig ist allein die zeichnerische Beschäftigung mit den Formen und Eigenheiten des jeweiligen Tiers. Wenn dabei noch eine schöne, vorzeigbare Skizze herauskommt – umso besser.
Durch das Zeichnen wird der Betrachter gezwungen, sowohl die typische Form als Ganzes als auch einzelne Details zu erfassen. Er wird erstaunt feststellen, dass er von einem Tier, das er intensiv gezeichnet hat, plötzlich eine viel genauere Vorstellung bekommt. Dabei sind nicht nur die anatomischen Formen wichtig, sondern auch die für jedes Tier typischen Bewegungen und Stellungen. Das direkte Studieren der Tierfigur mit Hilfe der Zeichnung kann durch andere Hilfsmittel wie Fotografien oder Tierbücher zwar ergänzt, aber niemals ersetzt werden. Weitere Quellen zur Vertiefung der anatomischen Kenntnisse können dann Tierfilme oder auch das Internet sein. Für sich allein genommen, können aber auch sie mit den Vorteilen des Zeichnens nicht konkurrieren. Hat man die Möglichkeit, so sollte man sich mit Block und Zeichenstift auf den Weg in den nächsten Zoo oder Wildpark machen und erst einmal ganz in Ruhe zeichnen. Wer auf dem Lande lebt, findet genügend Anregungen auf Weiden oder in Ställen, und auch Haustiere bieten sich natürlich als Motiv an. Je öfter und intensiver ein Tier gezeichnet wurde, umso leichter wird später beim Schnitzen die richtige Form gefunden.
Die Auswahl des Zeichenmaterials spielt dabei keine so große Rolle. Es bleibt jedem selbst überlassen, ob er lieber mit dem Bleistift, mit Tusche und Feder, Pinsel oder Kohle arbeitet, ob er ein ein-

Tipp Tierbilder suchen

Wer ein spezielles Tier sucht, kann im Internet mit etwas Geduld beim Suchen praktisch zu jedem Tier Bilder finden. Allerdings haben sie meist nur eine mäßige Qualität.

Mit wenigen Strichen werden die Proportionen festgelegt.

Zunächst wird das Motiv in groben Zügen umrissen.

faches Skizzenbuch oder lieber feinstes Zeichenpapier verwendet. Ist gerade nichts anderes zur Hand, genügen auch ein Kugelschreiber und ein Notizblock, um z. B. die Kopfhaltung eines Pferdes am Wegesrand oder die charakteristische Pose der Nachbarskatze festzuhalten. Oft sind nur wenige Striche nötig, um dem Gedächtnis später auf die Sprünge zu helfen. Liegt das Motiv einmal fest, ist es sinnvoll, sich so viele Eindrücke wie möglich von dem betreffenden Tier zu verschaffen – dies sowohl zeichnerisch als auch durch das Beobachten des lebendigen Tiers oder das Ansehen von Bildern und Filmen. Neben dem genauen Studieren von Details wie etwa Tatzen oder Hufen ist es sehr wichtig, dass der spezifische Charakter des Tiers erfasst wird. Um ein Tier möglichst genau mit dem Zeichenstift nachzubilden, ist eine ähnliche Vorgehensweise wie später beim Schnitzen zu empfehlen, nämlich von der vereinfachten, umrisshaften Form über die Herausarbeitung der wichtigsten Körperteile bis zu den feinen Details. Zunächst sollten

Zur Erfassung der plastischen Formen ist die Schraffur eine gute Methode.

Details können auch extra gezeichnet werden.

also die Grundformen in eher skizzenhaften, nicht zu kräftigen Strichen festgehalten werden. Dabei ist es durchaus sinnvoll, den Körper schematisch in einfache Formen wie Kreise oder Quader aufzuteilen, denn es geht hier zunächst darum, die Proportionen, also die Größenverhältnisse der Körperteile untereinander, korrekt zu erfassen. Ein Radiergummi sollte höchstens bei ganz groben Fehlern eingesetzt, am besten aber ganz beiseite gelassen werden; korrigierte Striche oder Hilfslinien dürfen einfach stehen bleiben. Ist die Grundform erfasst, kann weiter differenziert werden. Auch wer wenig Zutrauen in seine zeichnerischen Fähigkeiten hat, sollte einmal versuchen, das gewählte Objekt nicht nur in Umrisslinien, sondern auch in plastischen Formen darzustellen. Eine sehr gute Methode hierfür ist die Schraffur: Ein runder Bauch kann beispielsweise durch kleine Striche in Richtung der Rundung hervorgehoben werden. Wer lieber mit Kohle arbeitet, kann die plastische Form durch Schattierungen herausarbeiten. Die Ausarbeitung von Einzelheiten, die für die Gesamtform keine Rolle spielen, ist zunächst weniger wichtig und sollte erst ganz am Schluss erfolgen. Details an Kopf oder Gliedmaßen lassen sich oft genauer studieren, wenn sie etwas größer und gesondert ge-

Tipp Zuschauer

Vielen Anfängern, aber auch manch geübten Zeichnern sind über die Schulter guckende Zuschauer unangenehm; sie sollten also für Exkursionen Sonn- und Feiertage meiden.

zeichnet werden. Bei alldem muss keinerlei Wert auf ein „schönes Bild" gelegt werden. Dies würde nur von der Arbeit ablenken und ein lockeres Zeichnen verhindern. Erschwerend kommt natürlich hinzu, dass man ein Tier nicht zum Stillhalten bewegen kann. Meistens dreht es sich weg, lange bevor die Zeichnung auch nur annähernd fertig ist. Der Vorteil dabei ist, dass der Betrachter gezwungenermaßen viele verschiedene Stellungen zeichnet bzw. andeutet und so einen umfassenden Eindruck der jeweils typischen Bewegungsmuster bekommt. Trotzdem sollten Anfänger sich als erstes Motiv nicht unbedingt einen hin und her laufenden Panther wählen, sondern eher ein behäbigeres Tier. Manche Tiere, wie etwa Katzen, sind auch in schlafender Position interessant, bei den meisten liegt der Reiz allerdings in der Bewegung.

Tipp Erfassen der Form

Zum Erfassen der Gesamtform hilft oft schon der einfache, aber beliebte Trick, das Motiv mit zusammengekniffenen Augen zu betrachten, um es nur noch ganz verschwommen zu sehen.

Modellieren einer Figur

Ergänzend zum Zeichnen kann die Tiergestalt auch durch Modellieren in Ton erarbeitet werden. Hier gilt übrigens das Gleiche wie bei der Skizze: Das Tonmodell selbst ist nicht wichtig, sondern nur der Arbeitsvorgang an sich. Die Vorgehensweise beim Modellieren ist jedoch genau umgekehrt wie beim späteren Schnitzen: Es wird Material hinzugefügt und so die Form langsam aufgebaut, während beim Schnitzen Material abgetragen wird – und zwar irreparabel (wenn man einmal vom Ausbessern mit Leim absieht). Der große Vorteil beim Modellieren ist also der, dass verschiedene Stellungen ausprobiert und auch wieder verworfen werden können, bis eine zufrieden stellende Vorlage gefunden ist.

Als Material eignet sich jeder nicht allzu grobe Ton oder auch Plastillin (erhältlich z. B. in Geschäften für Künstlerbedarf oder Töpferwerkstätten); auf die Brennbarkeit muss dabei keine Rücksicht genommen werden. In der Regel wird das Tonmodell so lange mit nassen Tüchern und Plastikfolie feucht gehalten, bis es nicht mehr gebraucht wird und dann wieder eingestampft. Solange der Ton luftdicht verpackt gelagert wird, trocknet er nicht aus und kann immer wieder verwendet werden. Sollte er doch einmal hart geworden sein, kann er durch Einlegen in Wasser und anschließendes kräftiges Schlagen wieder geschmeidig gemacht werden. Wer ein besonders gelungenes Tonmodell gerne aufheben möchte, kann es trocknen lassen (und hoffen, dass es nicht allzu schnell zerfällt) oder auch in Gips oder sogar in Bronze gießen lassen, wobei Letzteres allerdings sehr teuer ist. Eine lediglich getrocknete Tonfi-

Form und Haltung des Affen werden mit Ton langsam aufgebaut und dabei ständig korrigiert.

Langsam bilden sich die Details der Figur heraus.

gur hält sich nicht über längere Zeit, selbst wenn sie eine sehr kompakte Form besitzt. Gebrannt werden kann ein Tonmodell nur, wenn es hohl aufgebaut wurde, was aber in diesem Zusammenhang nicht nötig ist und auch viel zu aufwändig wäre.
Als Unterlage für das Modell kann eine mit Plastik beschichtete Holzplatte dienen. Ein rohes Holzbrett ist dagegen nicht geeignet, da es dem Ton Wasser entzieht und so dessen Austrocknung beschleunigt. Ideal wäre natürlich ein Modellierbock aus Metall, der aber in den seltensten Fällen zur Verfügung stehen wird. Solche Modellierhilfen bestehen aus einem höhenverstellbaren, dreibeinigen Metallgestell, das eine drehbare Metallplatte oder -scheibe trägt. Damit kann das Tonmodell in der idealen Arbeitshöhe sowohl im Stehen als auch im Sitzen bearbeitet und in alle Richtungen gedreht werden, ohne es dazu anfassen zu müssen. Die Anschaffung eines solchen Modellierbocks lohnt sich aber nur, wenn wirklich großes Interesse am Modellieren besteht. Wer nur ab und zu mit Ton arbeitet und ansonsten lieber schnitzt, kann ohne weiteres darauf verzichten.
Die Vorgehensweise sollte, wie schon oben erwähnt, umgekehrt wie später beim Schnitzen sein. Viele Anfänger beginnen mit einem viel zu großen Stück Ton, an dem sie dann herumkneten, -bohren oder -schneiden. Um sich eine Form wirklich zu erschließen, ist es aber viel sinnvoller, diese mit kleinen Tonstückchen ganz allmählich aufzubauen, sozusagen von innen heraus. Dabei entsteht zwangsläufig zunächst eine eher schemenhafte Figur, die erst nach und nach durch eine immer feinere Arbeitsweise, d. h. die Verwendung immer feinerer Tonstückchen, detaillierter wird. Was beim Töpfern üblich und auch sinnvoll ist, nämlich das sorgfältige Glätten der Oberfläche, kann beim Modellieren unterbleiben. Wichtig ist hier die korrekte plastische Form, die durch das viel zu frühe Glattstreichen oft eher zerstört als verbessert wird. Deshalb sind auch Modellierwerkzeuge im Grunde überflüssig. Für Feinheiten kann jedoch eine kleine abgeschrägte Holzleiste durchaus nützlich sein, ansonsten genügen die Finger als Werkzeuge.
Bis zu seiner Fertigstellung muss das Tonmodell ständig feucht gehalten werden. Erst wenn sicher ist, dass nichts mehr daran verändert werden soll, kann man es trocknen lassen. Sinnvoller ist es, das Modell so lange feucht zu halten, bis es nicht mehr benötigt wird, um es dann einzustampfen und den Ton für neue Modelle zu verwenden.
Das fertige Tonmodell wird als Grundlage für die geplante Holzfigur verwendet. Mit Hilfe des Tasters können die Maße und Proportionen exakt vom Tonmodell auf die Holzfigur übertragen werden. Zunächst werden nur die äußeren Maße wie die Gesamthöhe und -breite auf den Holzklotz übertragen, mit zunehmender Herausarbeitung der Holzfigur dann die kleineren Maße wie die Abstände zwischen den einzelnen Körperteilen und deren genaue Größe. Dabei sollte allerdings auf ein zu akribisches Festhalten am Tonmodell verzichtet werden. Meist stellt es sich im Lauf der Arbeit heraus, dass das eine oder

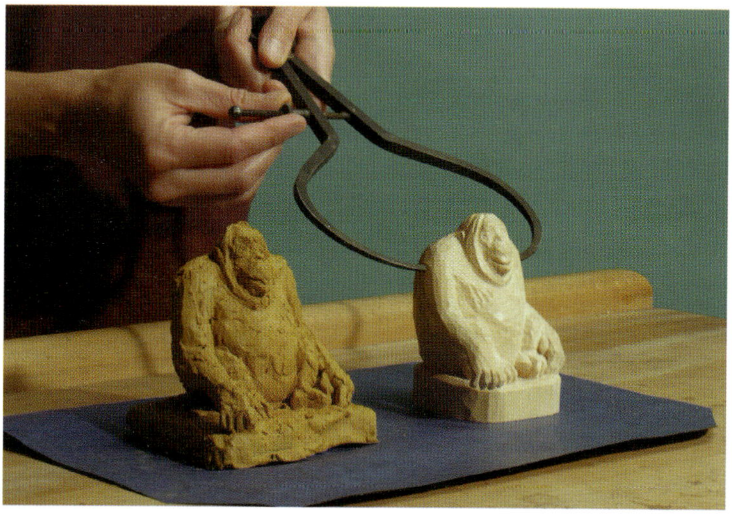

Die Maße des fertigen Tonmodells werden mit dem Taster auf die Holzfigur übertragen.

Tipp Skelettaufbau

Zum Feuchthalten des Modelliertons ist ein Wassersprüher am besten geeignet.
Wer einen stehenden Vierbeiner mit eher dünnen Beinen – etwa ein Pferd – modellieren möchte, wird rasch an die Grenzen des für diesen Zweck viel zu weichen Materials stoßen. Die Beine werden schnell einknicken, da sie das Gewicht des Rumpfes nicht halten können. In diesem Fall ist es unumgänglich, sich zunächst ein Drahtmodell als Stütze herzustellen. Dieses Drahtmodell muss sich, da es auch dessen Funktion hat, möglichst genau am Skelettaufbau orientieren. Die Beinstützen sollten auf einem Holzbrett mit Nägeln fixiert werden. Bei kleinen Figuren, etwa Krippenfiguren, steht der Aufwand eines solchen Tondrahtmodells allerdings in keinem Verhältnis zum Nutzen. Hier genügt es durchaus, zur Orientierung Zeichnungen zu verwenden.

andere Detail für die Holzfigur aufgrund der völlig verschiedenen Materialeigenschaften nicht so recht passen will oder noch verbessert werden könnte. Wer sich zu sehr an das Tonmodell klammert, verdirbt sich den Spaß an der Schnitzarbeit, zu der immer auch die Bereitschaft gehört, sich in das Material und die gewachsene Struktur einzufühlen und kleine Variationen zuzulassen. Das Modell sollte nur als Anhaltspunkt und Stütze, nicht aber als „Zwangsjacke" dienen. Wird die Arbeit unterbrochen, bevor das Tonmodell seinen Zweck erfüllt hat, so muss es gut mit Wasser besprüht und komplett in weiche Plastikfolien eingepackt werden, damit es seine Form behält und weiterhin als Modell verwendbar bleibt.

Schnitztechniken

Neben der Erarbeitung des Motivs sollten Anfänger sich auch Zeit für die Einarbeitung in das Material Holz nehmen. Wer noch nie mit Schnitzwerkzeugen gearbeitet hat und ohne Vorbereitung beginnt, ein Tier zu schnitzen, wird mit Sicherheit vom Ergebnis enttäuscht sein. Holz ist, wie schon früher erwähnt, ein gewachsenes und dadurch sehr eigenwilliges Material, das nur durch gründliches Kennenlernen erschlossen werden kann. Deshalb ist es für Anfänger sinnvoll, zunächst mit einem Probestück zu beginnen. Das Holzstück dafür sollte nicht zu klein sein, damit man sich richtig austoben kann, aber auch nicht so groß, dass die Kräfte überfordert werden. Es wird je nach Größe entweder in die Vorderzange oder zwischen die beiden Bankhaken der Schnitzbank fest eingespannt. Wird es zwischen die Bankhaken gespannt, müssen zwischen Bankhaken und Holzstück passende Holzleisten gebracht werden, um zu verhindern, dass das Schnitzeisen versehentlich auf das Metall der Haken trifft und schartig wird. Anfangs sollte kein bestimmtes Motiv ins Auge gefasst, sondern ohne Rücksicht auf Verluste einfach drauflos geschnitzt werden, möglichst in alle Faserrichtungen, mit verschiedenen Schnitzeisen, mit einem Klüpfel und direkt aus der Hand. Um die verschiedenen Schnitzeisen kennen zu lernen, wird eine kleine Auswahl von Eisen, die möglichst Flacheisen, Hohleisen, Hohlbohrer und einen Geißfuß umfassen sollte, nebeneinander mit der Schneide zum Schnitzenden und mit genügend Abstand zur Bankkante auf der Schnitzbank bereitgelegt. Dieses anfangs etwas ungewöhnliche, aber übliche Bereitlegen der Eisen hat den Vorteil, dass das jeweils gesuchte Eisen schnell gefunden werden kann. Auf keinen Fall dürfen die Eisen mit der Schneide zueinander liegen, da sie sich sonst gegenseitig Scharten verursachen. Wird allerdings mit dem Klüpfel gearbeitet, sollten keine oder nur wenige der gerade nicht benutzten Schnitzeisen auf der Schnitzbank liegen, da sie durch die Vibrationen der Schnitzbank manchmal zu „tanzen" beginnen, weghüpfen oder gar herunterfallen. Das ist nicht nur sehr gefährlich für die Füße, die dabei verletzt werden können, sondern zerstört auch die scharfe Schneide, die dann meist neu geschliffen werden muss.

Bei der Arbeit mit einem Klüpfel wird dieser fest, aber nicht verkrampft in die rechte Hand genommen, das Schnitzeisen – in diesem Fall am besten ein größeres Flach- oder Hohleisen – in die linke Hand. Das Schnitzeisen wird mit der Fase nach unten nicht zu steil am Holz angesetzt und durch die Klüpfelschläge ins Holz getrieben. Dabei kann die Schnittrichtung ständig korrigiert und die Intensität der Schläge je nach Bedarf variiert werden. Der Schnittwinkel darf weder zu steil noch zu flach sein, da sonst das Schnitzeisen entweder im Holz stecken bleibt oder zu wenig greift. Das richtige Gefühl dafür stellt sich relativ rasch ein. Wichtig ist, dass das Eisen sehr gut festgehalten wird, damit es nicht aus der Hand springt, und dass der Klüpfel am oberen Griffende gefasst wird, um sein Eigengewicht beim Schwungholen optimal auszunutzen. Wird der Klüpfel zu kurz, also ganz direkt am Übergang zum Schlägel gefasst, kostet das Schlagen un-

Die richtige Schnitzhaltung, demonstriert an einem Probestück

Die richtige Handhabung des Klüpfels an einem Probestück

nötig viel Kraft und die Armmuskeln verkrampfen sich, was zu schneller Ermüdung und Schmerzen führt. Die lockere Handhabung des Klüpfels kann gut mit der eines Hammers verglichen werden.

Das richtige Gefühl für den Holzcharakter erhält man aber vor allem beim Schnitzen ohne Klüpfel. Dazu wird das Schnitzeisen fest in beide Hände genommen: Die linke Hand umfasst den unteren Griff oder auch das obere Ende des Metallteils und dient als Absicherung und Stütze. Der Handballen liegt dabei zur ständigen Sicherung direkt am Holz. Die rechte Hand dient der Schnittführung. Sie umfasst das hintere Ende des Griffs und schiebt das Schnitzeisen in die gewünschte Richtung. Auf diese Weise wird eine optimale „Tuchfühlung" mit dem Holz erreicht. Auf keinen Fall darf das Schnitzeisen nur mit einer Hand gehalten werden, da so keinerlei Absicherung besteht, falls das Eisen abrutscht. Zudem ist eine gezielte, sichere Schnittführung unmöglich. Die Schnittrichtung sollte generell vom Körper wegführen, denn selbst bei richtiger Arbeitshaltung kann es hin und wieder vorkommen, dass das Eisen unvermutet vom Holz abgleitet. Eine Ausnahme ist das Schnitzen ganz kleiner Tierfiguren mit dem Schnitzmesser (s. Seite 56 – 58). Lässt das Holz sich nicht glatt schneiden, wird die Schnittfläche fasrig oder bricht, ist dies ein Zeichen dafür, dass gegen die Faser geschnitten wird. Dann muss die Schnittrichtung geändert werden. Je nach gewünschter bzw. notwendiger Arbeitsrichtung sollte das Holzstück in verschiedenen Lagen und Richtungen eingespannt werden, damit es von allen Seiten optimal und sicher bearbeitet werden kann. Wird die Arbeitshaltung aufgrund der durch die Faserrichtung vorgegebenen Schnittrichtung unbequem oder unsicher, muss das Holz ausgespannt und in einer anderen Position befestigt werden. Dies ist besonders oft der Fall, wenn fast parallel zur Faserrichtung gearbeitet wird, da sie sich ständig ändern kann. Glatte Schnitte werden meist leichter an den Enden als in der Mitte des Holzstücks erreicht, zunächst sollte also an diesen Stellen mit der Übung begonnen werden. Die Hirnholzfläche bietet den größten Widerstand, lässt sich also am schwersten bearbeiten.

Als Vorbereitung für das Ausarbeiten vierbeiniger stehender Tierfiguren sollten möglichst auch Höhlungen und Durchbrüche geschnitzt werden. Dabei entstehen manchmal so interessante Formen, dass es sich lohnt, das Übungsstück sauberzuschneiden, eventuell zu schleifen und zur Dekoration aufzustellen.

Die Auswahl der passenden Eisen richtet sich natürlich nach dem Zweck der Arbeit. Um möglichst viel Masse wegzuschnitzen, sind große Hohlbohrer oder Hohleisen am besten geeignet, für die gezielte Herausarbeitung einer bestimmten Form eignen sich mittelgroße Flach- oder Hohleisen am besten und kleinere Details lassen sich mit entsprechend kleinen Eisen herausschnitzen. Beim Schnitzen der Oberfläche sollte immer ein Eisen gewählt werden, dessen Form der gewünschten Fläche möglichst genau entspricht, für eine gerade Fläche also ein fast ganz flaches Eisen und für einen Hohlraum ein Hohleisen oder Hohlbohrer mit der passenden Wölbung. Die Auswahl des jeweils passenden Schnitzeisens kann am Probestück schon in allen möglichen Varianten geübt werden. Dabei stellt sich schnell auch ein Gefühl dafür ein, ob ein Eisen wirklich gut geschliffen ist.

Tipp **Astverwachsungen**

Im Holz eingewachsene Aststellen lassen sich besonders schwer bearbeiten. An diesen Stellen ändert sich die Faserrichtung ständig, sie läuft kreisförmig rund um den Ast herum. Der Ast selbst ist meist viel dunkler gefärbt als das übrige Holz und so hart, dass die Bearbeitung sich äußerst schwierig gestaltet. Hier muss sehr behutsam vorgegangen werden, denn lang angeschliffene Eisen brechen an solchen Stellen besonders gern aus.

Eine kleine Einführung

Die Tieranatomie

Kamel, mit dem Klüpfel gehauen; Lehrlingsarbeit

Die Darstellung von Tieren verlangt im Grunde ein noch genaueres anatomisches Wissen als die von Menschen. Dies hat einen einfachen Grund: Tiere tragen keine Kleider. Wer eine menschliche Figur schnitzt, kann sein mangelndes Wissen über die Körperformen relativ leicht durch Kleidung kaschieren. Im Mittelalter wurden wunderschöne Heiligenfiguren mit kunstvollen Faltenwürfen geschnitzt, doch die meisten Tierdarstellungen aus dieser Zeit sind unfreiwillig komisch, da ihnen keinerlei – oder nur ein sehr ungenügendes – Naturstudium zu Grunde liegt.
Ein umfassender Einblick in die gesamte Tieranatomie würde natürlich den Rahmen dieses Buches sprengen. Deshalb soll hier im Wesentlichen nur auf diejenigen Tierarten eingegangen werden, die als Schnitzmotiv besonders verbreitet bzw. geeignet sind, obwohl es im Grunde kein Tier gibt, das nicht in Holz dargestellt werden könnte, sei es nun als plastische Vollfigur oder als Relief.

Säugetiere

Am beliebtesten sind natürlich unsere nächsten Verwandten, die Säugetiere, von denen es wiederum so viele verschiedene Arten gibt, dass auch von ihnen nur wenige berücksichtigt werden können. Trotz ihres unterschiedlichen Aussehens, ihrer verschiedenen Farben und Größe gehören alle Säugetiere zur selben Familie, haben also einen gemeinsamen Ursprung und entsprechend viele Gemeinsamkeiten. Dies zeigt sich besonders deutlich am Skelett, das nicht nur bei jedem Säugetier, sondern auch bei jedem Wirbeltier (also auch bei Vögeln, Reptilien, Amphibien) den gleichen Grundaufbau hat. Für den Schnitzer besonders interessant und wichtig zu wissen sind in diesem Zusammenhang die Aufteilung der Gliedmaßen und damit die Knochengelenke. Wer sich damit ein wenig auskennt, kann später bestimmte anatomische Fehler vermeiden. Das Skelett als Grundgerüst des Körpers bestimmt natürlich auch die Haltung und die Bewegungsmöglichkeiten ganz wesentlich. Allen Wirbeltieren gemeinsam ist die Wirbelsäule als Zentrum, an welche vorn (oben) der Schädel und weiter hinten (unten) der Brustkorb anschließen. Von ihr gehen die vier Gliedmaßen, zwei vorn (oben) und zwei hinten (unten) aus, die jeweils wieder nach dem Schema Oberschenkel (Oberarm), Unterschenkel (Unterarm) und Fuß (Hand) aus drei Teilen bestehen. Diese Gliedmaßen sind mit der Wirbelsäule vorn (oben) über Schlüsselbein und Schulterblatt, hinten (unten) über das Becken verbunden. Die einzelnen Teile dieses Skelettschemas haben in ihrer langen Entwicklungsgeschichte bei den einzelnen Arten die unterschiedlichsten Formen angenommen: Die vorderen

Gliedmaßen entwickelten sich je nach Funktion zu Vorderbeinen mit Hufen oder Tatzen, Armen mit Händen, Flügeln oder Schwimmflossen. Bei manchen Arten wie z. B. bei den im Wasser lebenden Robben oder Walen ist das Schema kaum noch zu erkennen, da sich ihre Gliedmaßen im Laufe von Jahrmillionen zurück- bzw. umgebildet haben. Meist sind aber noch Spuren davon übrig, wie etwa die Reste von Hüftknochen beim Wal.
Abgesehen vom Skelett gibt es noch weitere wichtige Gemeinsamkeiten bei den Säugetieren. Wie schon der Name sagt, säugen sie ihre Jungen, was für Schnitzer allerdings nur bei der Darstellung einer Kuh oder eines säugenden Muttertiers von Belang ist. Wichtiger in diesem Zusammenhang ist das allen Säugetieren gemeinsame Fell (das allerdings beim Hausschwein zu spärlichen Borsten verkümmert und beim Wal ganz verschwunden ist), denn je nach Beschaffenheit spielt es bei der Darstellung, z. B. beim Schnitzen der Oberfläche, eine Rolle. Bei langhaarigen Tieren wie etwa Bären oder Büffeln beeinflusst der dicke Pelz die Körperform so stark, dass er beim Schnitzen unbedingt berücksichtigt werden muss.
Die verbreitetsten Motive für Tierschnitzer sind vermutlich Vierbeiner wie Katzen, Pferde oder Schafe. Obwohl es sich bei ihnen um auf dem Land lebende Säugetiere handelt, sie sich in gewisser Weise also mehr oder weniger ähnlich sind, gibt es auch bei ihnen große Unterschiede. Neben ihrem ganz offensichtlich unterschiedlichen Erscheinungsbild in Größe, Farbe, Formen spielen hier die verschieden ausgebildeten Gliedmaßen eine wichtige Rolle. Nimmt man als Grundschema das menschliche Knochengerüst, dann gehen

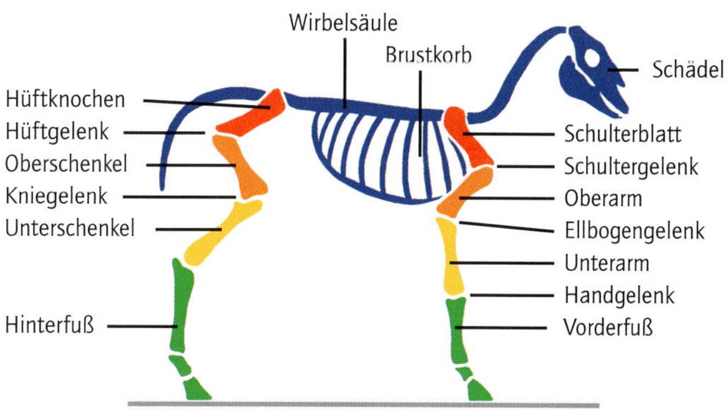

Schematischer Aufbau eines Säugetierskeletts am Beispiel eines Pferdes

Huftiere wie etwa Pferde gewissermaßen wie eine Primaballerina beim Spitzentanz auf Zehenspitzen, während Bären und auch Menschen auf dem ganzen Fuß, Hunde und Katzen hingegen auf den Zehen bzw. Fußballen gehen. Am besten lassen sich die anatomischen Besonderheiten verdeutlichen, wenn an einem Skelett eines Tiers untersucht wird, wo jeweils das Hüftgelenk, das Knie und die Ferse bzw. vorn das Schulterblatt, das Armgelenk und das Handgelenk (auch wenn Vierbeiner eigentlich keine Hände, sondern Vorderfüße haben, wird beispielsweise beim Pferd von der Vorderhand gesprochen) zu finden sind.

Natürlich gehen die Unterschiede noch weit tiefer. Hufe oder Klauen der auf den Fußspitzen gehenden Huf- und Klauentiere können in ganz verschiedenen Formen ausgebildet sein. Während die Hufe eines Pferdes oder Esels eine geschlossene halbrunde Form haben, sind die Klauen von Rindern, Schafen, Ziegen, Rehen, Hirschen und auch Schweinen gespalten. Ein Löwe geht ebenso auf dem Fußballen wie ein Hund, trotzdem unterscheiden sich seine mächtigen Pranken sehr von den schlanken Hundepfoten. Um also möglichst viele Besonderheiten zu erfassen, sollte man das genaue Beobachten trainieren und dies durch vieles Zeichnen noch ver-

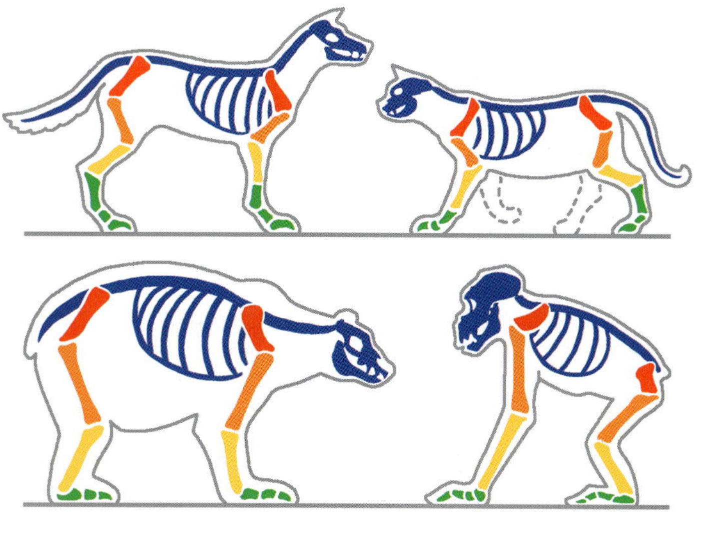

Hund und Katze (oben) gehen auf dem Fußballen, Bär und Affe (unten) auf dem ganzen Fuß.

stärken. Trotzdem ist es wichtig, auch theoretisch zu wissen, wo sich die einzelnen Gelenke befinden, also ein Tier seinen Huf oder seine Pfote überhaupt bewegen kann.
Doch bevor man sich mit solchen Details wie den Gliedmaßen beschäftigt, müssen sowohl die jeweils typische Gesamtform als auch die Proportionen eines Tiers erfasst werden. Sie können auch innerhalb einer Gattung erheblich variieren. Obwohl in der Grundform ähnlich, hat z. B. eine Kuh ganz andere Größenverhältnisse als der ihr verwandte Bison. Sie ist im Vergleich länger und gleichmäßiger, hat kürzere Beine und einen kleineren Kopf. Ähnliches gilt bei einem Vergleich zwischen einem Hausschwein und einem Wildschwein.
Die anatomischen Merkmale eines Tiers, die durch seine speziellen Verhaltensweisen bedingt sind, wirken sich natürlich auch auf seinen Gesamtcharakter aus. Für die realistische Darstellung eines Löwen muss berücksichtigt werden, dass es sich um ein Raubtier handelt, das zwar einen Großteil des Tages träge in der Sonne liegt, sich aber bei der Jagd trotzdem geschmeidig, schnell und mit großer Kraft bewegt. Beim Pferd dagegen stehen die Bewegungsfreude, edle Haltung, aber auch sein sanftes Wesen im Vordergrund. Je mehr Kenntnisse über ein Tier vorhanden sind, umso lebendiger wird später auch seine Nachbildung gelingen.
Jedes Tier hat besondere Stellungen und Posen, die auch seinen Charakter bestimmen und die genau beobachtet werden sollten, bevor eine bestimmte Haltung ausgewählt wird. Grob gesagt kann zwischen stehender, sitzender und liegender Position unterschieden werden.
Eine stehende, gehende oder sogar laufende Position ist im Grunde jedem Vierbeiner angemessen, wobei beachtet werden muss, welche Fortbewegungsart für das jeweilige Tier typisch ist. Ein Bär trottet langsam und schwerfällig dahin, während eine Gazelle elegante Sprünge ausführt. Für eine richtige Darstellung muss aber auch auf die Beinstellung geachtet werden, ob sich das jeweilige Tier also versetzt oder im Passgang bewegt. Die meisten Vierbeiner bewegen ihre Beine versetzt, d. h. gleichzeitig rechtes Vorderbein und linkes Hinterbein und umgekehrt. Ausnahmen bilden z. B. Kamel und Elefant; sie gehen im Passgang, bewegen also gleichzeitig rechtes Hinterbein und rechtes Vorderbein und umgekehrt. Auch Pferde können durch Dressur dahin gebracht werden, im Passgang zu gehen, etwa beim Trabrennen. Die Entscheidung für die Darstellung einer stehenden bzw. gehenden Figur hat den Vorteil, dass sie wenig Fehlerquellen in sich birgt. Die Beine zeigen mehr oder weniger nach unten und alle Körperteile haben ihre klar erkennbare Anordnung. Problematisch kann es für einen Anfänger werden, wenn bei Tieren mit dünnen Beinen sehr viel Holz unterhalb des Bauches weggeschnitzt werden muss.
Sehr reizvoll ist aber auch die Darstellung eines Tiers in sitzender Position. Dabei muss jedoch bedacht werden, dass diese Position von den meisten Huftieren wie Pferden, Kühen, Schafen nie eingenommen wird. Auch Elefanten oder Raubkatzen lassen sich nur durch Dressur dazu bringen, sich – etwa noch mit erhobenen Vorderfüßen – hinzusetzen. Löwen werden häufig sitzend dargestellt, was aber nicht gerade ihren Charakter unterstreicht. Natürlich hängt es auch vom individuellen Geschmack ab, ob man ein Tier eher in natürlicher oder vielleicht auch einmal in einer witzigen Pose darstellen möchte. Jedenfalls ist es wichtig zu wissen, welche Sitzhaltung für das jeweilige Tier typisch bzw. möglich ist. So sitzen Hauskatzen mit Vorliebe und großer Ausdauer – mit eng an den Körper gesetzten Pfoten und hoch erhobenem Kopf – und geben dabei ein schönes, geschlossenes Motiv ab, das sich wegen seiner klaren und einfachen Form sehr gut zum Schnitzen eignet. Je nach Vorbild kann dabei eine eher kompakte oder

Kleiner Orang Utan aus Lindenholz. Besondere Sorgfalt wurde hier auf das Gesicht verwendet.

eine schlanke, elegante Figur entstehen. Eine ganz andere Haltung nehmen Hunde ein. Sie sitzen meist mit erwartungsvollem Blick nach oben gerichtet und heben dabei oft einen Vorderlauf. Die Hinterläufe können dabei parallel zum Körper liegen oder beide nach einer Seite ausgerichtet sein. Auch Schweine können sitzen und legen dabei die Hinterbeine nach einer Seite, besonders typisch ist diese Haltung bei ihnen aber nicht. Dagegen bietet sich bei Bären eine sitzende Haltung an. Sie halten die Hinterbeine auf beiden Seiten parallel zum Körper und heben die Tatzen dabei relativ hoch.
Ein Tier, dessen Lieblingshaltung das Sitzen bzw. Hocken ist, ist der Affe. Unter allen Tieren nehmen besonders die Menschenaffen eine Sonderstellung ein. Einerseits sind sie dem Menschen ähnlicher als alle anderen Säugetiere, können also beim Schnitzen ähnlich behandelt werden wie Menschen, andererseits unterscheiden sie sich von diesen doch in wichtigen Punkten, z. B. durch ihr Fell und ihre völlig anderen Proportionen. Ihre Arme reichen selbst in stehender Haltung bis zum Boden. In ihrer typischen hockenden Position können sie also weit nach allen Seiten greifen. Der Kopf sitzt fast ohne sichtbaren Hals direkt am Rumpf, und das Gesicht ist viel flacher und ganz anders proportioniert als beim Menschen. Nase und Maul bilden eine einheitliche Form, die mehr Raum einnimmt als die niedrige Stirn, die Kiefer sind sehr kräftig ausgebildet, ragen weit nach vorne und enthalten große Eckzähne. Außerdem haben Affen nicht nur an den Händen, sondern auch an den Füßen bewegliche Daumen.
Trotzdem besteht eine gewisse Ähnlichkeit mit dem Menschen, die nicht nur in den nach vorn gerichteten, tiefsinnig (oder auch traurig) blickenden Augen, der runden Kopfform und den beweglichen Händen begründet liegt,

Liegendes Kamel aus Eichenholz

sondern auch in den menschenartigen Verhaltensweisen etwa beim Fressen, Spielen oder Streiten.
Soll ein Tier liegend dargestellt werden, muss ebenfalls genau beobachtet werden, welche Haltung für das jeweilige Tier typisch ist. Rinder liegen sehr häufig – weshalb der Ochse an der Krippe auch meist liegend dargestellt wird –, wobei sie die Vorderbeine nach unten einknicken und beide Hinterbeine auf eine Seite legen. Ihr Körper bildet dann einen sehr reizvoll geschwungenen Bogen. Ganz anders lagert sich ein Kamel. Es knickt nicht nur die Vorderbeine ein, sondern auch die Hinterbeine, deren Sprunggelenke dann nach hinten wegstehen, was dem ganzen Tier ein beinahe schaukelartiges Profil gibt. Pferde und Schafe liegen hingegen eher selten. Katzen wiederum rollen sich zum Schlafen zusammen, sodass der Kopf auf dem Hinterteil liegt und der Schwanz den ganzen Körper umschließt. Dies ergibt eine sehr schöne geschlossene Form. Bei der Lauer auf Beute kauern sie wiederum halb liegend oder auch sitzend mit erhobenem Schwanz am Boden. Hunde liegen oft mit ausgestreckten Vorderläufen auf dem Bauch. Die Hinterläufe sind dann meist auf beiden Seiten parallel zum Körper ausgerichtet. Der Kopf wird entweder zwischen die Vorderpfoten gebettet oder erwartungsvoll gehoben. Natürlich können sie sich auch auf die Seite legen, was für eine geschnitzte Darstellung aber weniger interessant ist. Die Liege- oder Schlafpositionen der einzelnen Tiere sind sehr vielfältig und können besonders angenehm und ausgiebig beobachtet werden, da sie naturgemäß für eine längere Zeit eingenommen werden.

Die Darstellung von Tieren

Bei einigen Tieren bietet es sich geradezu an, sie als Gruppe darzustellen. Bei der Wahl des Motivs und der Darstellung muss jedoch beachtet werden, welche Tiere sich häufiger in Gruppen

aufhalten und in welcher Form dies geschieht. Einzelgänger wie Bären wird man niemals in der Gruppe antreffen, bestenfalls eine Bärenmutter mit ihren Jungen. Das Gleiche gilt für viele Raubkatzen und auch Hauskatzen. Typische Herden- oder Rudeltiere wie Rinder, Pferde, Hunde oder Löwen haben wiederum ganz unterschiedliche Verhaltensweisen innerhalb ihrer Gruppe, die vor der Festlegung eines Motivs studiert werden sollten. Manche berühren sich gern, wie etwa Affen oder Elefanten, andere stehen eher unbeteiligt zusammen, wie etwa Schafe. Viele Vögel, wie z. B. Flamingos und Pinguine, halten sich nur in großen Ansammlungen auf, andere, etwa Eulen, leben vorwiegend allein. Allen hier behandelten Tierarten gemeinsam ist die Fürsorge für die Jungen, die sich deshalb immer als Thema für eine Tierfigurengruppe eignet. Bei der Darstellung einer Tiergruppe müssen also die Verhaltensweisen noch weit gehender beobachtet werden als bei einer Einzelfigur, ganz abgesehen von den Schwierigkeiten, die sich dann beim Schnitzen ergeben. Deshalb ist eine frei stehende Tiergruppe als Motiv nur für geübte Schnitzer zu empfehlen. Eine einfachere und trotzdem sehr interessante Möglichkeit bietet die Bearbeitung als Relief.
Die Beobachtung und Darstellung von Jungtieren hat einen ganz besonderen Reiz. Um diesen bei der Nachbildung gut wiedergeben zu können, müssen einige Besonderheiten in den Proportionen beachtet werden. Genau wie kleine Menschenkinder haben auch Tierkinder eine besonders liebenswerte und gleichzeitig schutzbedürftige Ausstrahlung. Dies rührt daher, dass sie von der Natur mit dem so genannten „Kindchenschema" versehen wurden, d. h. sie haben im Verhältnis zu dem kleinen Körper einen großen Kopf mit hoher Stirn und großen Kulleraugen. Ihre Bewegungen sind tapsig und unbeholfen. Dieses Schema ist allen Säugetierjungen gemeinsam und führt bei jedem Erwachsenen zu dem instinktiven Bedürfnis, es zu schützen. Bei Huftierjungen muss zudem berücksichtigt werden, dass deren Beine unverhältnismäßig lang und staksig sind, der Hals hingegen kurz wirkt. Einen weiteren Unterschied bildet oft die Farbe und Struktur des Fells, etwa bei einem Rehkitz oder bei jungen Raubkatzen. Dies muss vor allem dann beachtet werden, wenn die Figur bemalt werden soll.
Bei der unüberschaubaren Zahl verschiedener Tierarten mit ihren wiederum sehr vielfältigen Darstellungsmöglichkeiten ist jede Verallgemeinerung problematisch. Trotzdem lässt sich feststellen, dass Tiere mit einer eher geschlossenen Körperform – etwa eine Eule oder ein Bär – sich einfacher schnitzen lassen als solche mit ausladenden und differenzierten Körperteilen wie eine Giraffe oder ein Hirsch. Für den Schwierigkeitsgrad ist jedoch auch die Körperhaltung wichtig. Je symmetrischer die Haltung des Tiers, desto einfacher lässt es sich darstellen. Eine sitzende Katze mit gerade ausgerichtetem Kopf birgt also weit weniger Schwierigkeiten in sich als eine Katze, die laufend dargestellt werden soll und dabei noch mit erhobenem Schwanz zur Seite schaut. Die relativ einfache Form einer Eule in Ruhestellung wird sofort kompliziert, wenn die Eule ihre Flügel ausbreitet. Man sollte also zum Einstieg nicht gleich ein allzu schwieriges Motiv wählen, sondern sich erst beherrschbaren Formen zuwenden.

Tipp Klare Formen

Wer sich für ein schwieriger darzustellendes Tier mit komplizierten Körperformen entschieden hat, sollte es zunächst in einer einfachen und klaren Haltung schnitzen. Es ist besser, sich nach und nach an ein solches Tiermotiv heranzutasten, als durch die Wahl einer sehr schwierigen Position gleich die Lust am Schnitzen von Tieren zu verlieren.

Bei diesen als Buchstützen dienenden Steinböcken wurde unter genauer Beachtung der Körperformen jeder Schnitt sorgfältig geplant.

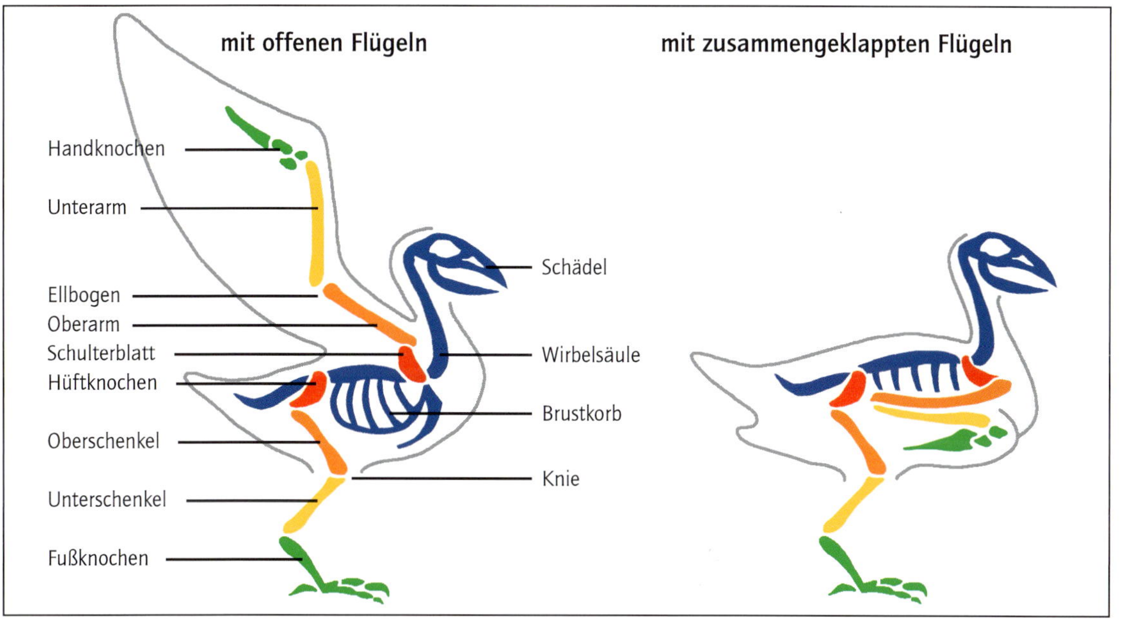

Das Skelettschema bei Vögeln

Die Darstellung von Vögeln

Neben Säugetieren sind Vögel als Motiv für Schnitzer am häufigsten vertreten. Wild lebende Vögel sind die beliebtesten Beobachtungsobjekte bei Naturfreunden, aber auch domestizierte Vögel wie Hühner, Enten oder Gänse bieten sich zum genauen Studium an. Wer etwas Zeit und Geduld hat, kann in jedem Garten oder Park Singvögel beobachten, die sich auch dem Leben in der Großstadt perfekt angepasst haben.

Das Skelett der Vögel hat den gleichen schematischen Aufbau wie das der Säugetiere, nur haben sich die vorderen Gliedmaßen hier zu mehr oder weniger funktionsfähigen Flügeln umgebildet. Die Hinterbeine haben, je nach Funktion, die verschiedensten Formen; es können kurze, dünne Watschelbeine mit Schwimmhäuten zwischen den Zehen bei Schwimmvögeln, lange, muskulöse Laufbeine wie beim Strauß, Greifbeine mit scharfen Krallen bei Raubvögeln, oder dünne, lange Stelzbeine beim Kranich oder Storch sein. Statt des Fells besitzen Vögel ein Federkleid, dessen interessante Oberfläche sich als Vorbild für kunstvoll geschnitzte Oberflächen anbietet.

Bei vielen Vögeln spielt das bunte Gefieder eine wichtige Rolle. In ihrem sozialen Zusammenleben hat das unverwechselbare Farbschema eine wichtige Erkennungsfunktion. Singvögel oder auch Papageienvögel lassen sich beispielsweise oft nur anhand ihrer typischen farbigen Zeichnung voneinander unterscheiden. Bei ihnen ist eine sorgfältige Bemalung nach dem Schnitzen sinnvoll und angebracht. Trotzdem sollten auch die kleinen Unterschiede in der Körperform, z. B. Größe, Fülle und Schnabelform, nicht vernachlässigt werden.

Bei anderen Vögeln wie Hühnern oder Eulen ist die Farbe von geringerer Bedeutung. Ihre Form ist auch ohne Farbe unverwechselbar. Ebenso wie bei den Säugetieren gibt es Vögel mit einer eher geschlossenen, kompakten Form wie Eulen oder Pinguine – sie sind für Anfänger leichter zu erfassen – und andere mit differenzierteren Formen, wie Kraniche oder Störche. In Zoos sind oft auch komisch wirkende, aber in ihrer Form sehr interessante Vogelarten wie Marabus, Pelikane oder Flamingos zu finden.

Während die Grundform eines Vogels in Ruhestellung relativ überschaubar ist, wird die Darstellung mit geöffneten Flügeln recht kompliziert. Sie stellt sehr hohe Anforderungen sowohl an die Beobachtungsgabe als auch an das technische Können des Schnitzers. Hobbyschnitzer oder gar Anfänger sollten sich deshalb bei der Nachbildung von Vögeln zunächst für die Ruhestellung entscheiden und mit dem Schnitzen geöffneter Flügel noch etwas warten. Wer es dennoch probieren möchte, muss das anatomische Gerüst der Flügel zuvor genau studieren und dabei vor allem auf den Ansatz des Flügels am Rumpf, die Gelenke, an denen der Flügel geknickt werden kann, sowie die Fächerung der Schwungfedern achten. Die Flügel sind bei allen flugfähigen Vögeln relativ dünne, aber breit gefächerte Gliedmaßen, die geöffnet im Verhältnis zum Rumpf meist sehr groß sind, in Ruhestellung hingegen mehrfach „zusammengefaltet" eng am Körper anliegen.

Einfache Formen für Einsteiger

Das Schnitzen einer Eule

Diese einfache Form bietet sich auch für eine etwas abstraktere Darstellung an.

Der Vogel, der auf die Menschen immer schon eine besondere Faszination ausgeübt hat, ist die Eule. Wegen ihres seltsamen und unheimlichen Aussehens wurden ihr in manchen Kulturen besondere Eigenschaften wie Weisheit oder Güte zugeschrieben. In unseren Breiten wurden die harmlosen Käuzchen früher als Verkünder von Unglück und Tod verfolgt und grausam gequält. Als Motiv für geschnitzte Figuren sind Eulen nach wie vor sehr beliebt. Es ist allerdings sehr schwer, diese nachtaktiven und lautlosen Jäger in freier Wildbahn zu beobachten. Manchmal kann man sie in Wildparks im Käfig beobachten, wo sie sich aber tagsüber ebenfalls meist in einer dunkleren Ecke verstecken. Für den Entwurf einer Eule muss man deshalb in der Regel auf Fotos aus Büchern oder Zeitungen zurückgreifen. Ihre einfache, geschlossene Form eignet sich besonders gut als Motiv für Anfänger und bietet sich zur Umsetzung als abstrakte Figur an.

Im Gegensatz zu den meisten anderen Vögeln hat die Eule ein ganz flaches Gesicht mit einem dicht anliegenden Schnabel. Der Kopf sitzt nicht vorn, sondern fast übergangslos oben auf dem Rumpf und ist nur wenig schmaler. Die Eule kann den Kopf problemlos um die eigene Achse bis auf den Rücken drehen, sodass das Gesicht dann nach hinten schaut.

Wer die Eule etwas asymmetrisch gestalten möchte, kann das Gesicht nach der Seite ausrichten, ohne dass sich dadurch am Rumpf etwas ändert, was bei anderen Tieren nicht möglich ist, da sich bei ihnen die Drehung des Kopfes immer auch auf die Form des übrigen Körpers, zumindest auf die des Halses auswirkt.

Der Gesamtumriss der Eule ist mehr hoch als breit. Die Schwanzfedern ragen nach unten, die Beine sind kurz und haben befiederte Füße mit scharfen Krallen, zwei nach vorn und zwei nach hinten gerichtet. Dies ist ebenfalls eine Besonderheit, denn bei den meisten Vögeln sind drei Zehen nach vorn und eine nach hinten ausgerichtet. (Der fünfte der eigentlich vorhandenen fünf Zehen oder Finger sitzt meist als Dorn weiter oben hinten am Fuß.)

Der Umriss kann mit einem großen Balleisen aus dem Holz geschlagen werden.

Zunächst werden die Grundformen der Eule mit einem großen Hohleisen angelegt.

Anschließend wird das Gesicht mit einem etwas kleineren Eisen zurückgesetzt.

Die ganze Form wird abgerundet und damit deutlich vom Sockel abgegrenzt.

Die Flügelkanten werden mit einem Hohlbohrer angelegt, um später noch etwas Spielraum zu haben.

Die Kerbe zwischen den „Ohren" wird ebenfalls mit dem Hohlbohrer geschnitten.

Die Position des Schnabels wird durch Schnitte von rechts und links bestimmt.

Die Flächen des Gesichts werden unter Auslassung des Schnabels mit einem Flacheisen angelegt.

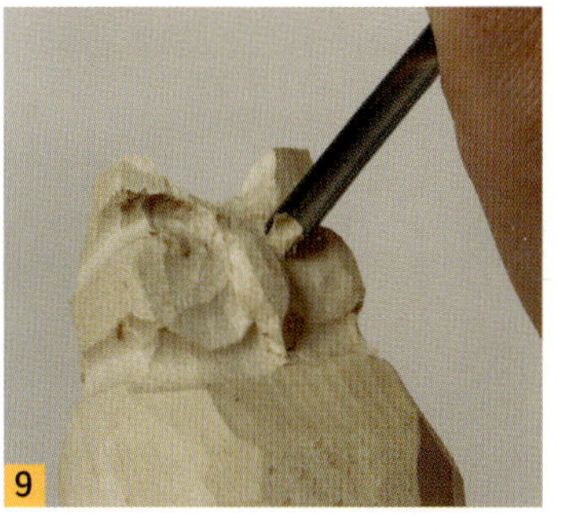

Details wie der Schnabel und die „Ohren" werden nun sauber herausgearbeitet.

Der einfache Umriss der Eule wird am besten auf einem passenden Holzklotz angezeichnet und mit der Bandsäge ausgesägt, kann aber auch direkt mit einem großen Flach- oder Balleisen und dem Klüpfel aus dem Holz geschlagen werden. In letzterem Fall muss der Umriss zuvor auf beiden Seiten angezeichnet werden. Danach werden zunächst die einfachen Flächen von Gesicht und Flügeln sowie die Rundung von Kopf und Bauch mit einem mittelbreiten Flacheisen (etwa Stich 4 oder weniger) angelegt. Soll die Eule „Ohren", also Federbüschel am Kopf erhalten, müssen sie schon beim Umriss eingeplant werden. Das Holz rund um die Ohren wird mit einem Hohlbohrer weggeschlagen. Auch zum Anlegen der Flügelkanten, des schmalen Schnabels, der Schwanzfedern und der Klauen wird ein Hohlbohrer verwendet.

Sind die groben äußeren Formen festgelegt, kann schon mit dem Schnitzen des Gesichts begonnen werden. Die Augen werden mit einem nicht zu großen, in die Rundung passenden Flacheisen (je nach Größe Stich 4–6) als runde, leicht nach innen gewölbte Flächen geschnitten, in deren Mitte die Pupillen in Form einer kleinen Halbkugel stehen bleiben. Die Begrenzung dieser Pupillen wird zuvor mit einem kleinen Hohlboh-

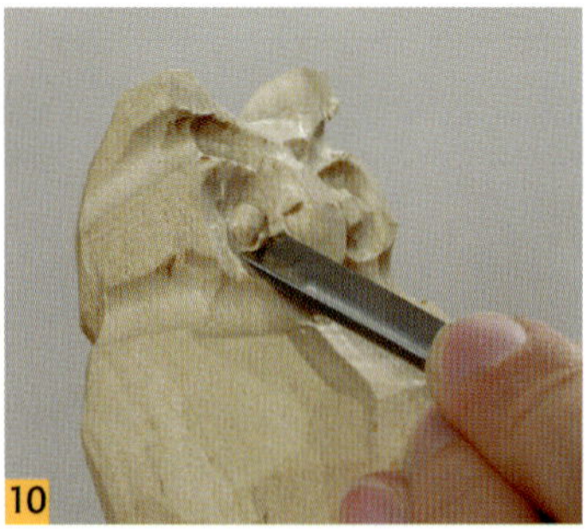

Die runden Augen der Eule werden mit den passenden Eisen sauber vorgeschnitten.

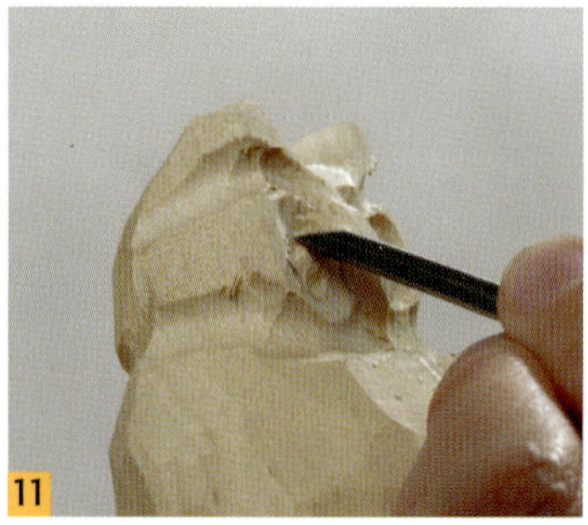

Für die gewölbten Pupillen wird das Hohleisen umgedreht und exakt an den Kanten angesetzt.

Sind alle Flächen sauber vorgearbeitet, kann das Federkleid durch Zierschnitte angedeutet werden.

Die exakten Linien der Schwungfedern werden mit dem Geißfuß geschnitten.

Durch exakte Schnitte mit einem Flacheisen wird die Eule scharf vom Sockel abgegrenzt.

rer festgelegt. Durch Nachschneiden von beiden Seiten entsteht anschließend eine scharfe Kante. Die Schnitte werden von außen mit dem Flacheisen und von innen mit einem umgedrehten, genau auf die geplante Halbkugelform der Pupille passenden kleinen Hohleisen gesetzt. Auch der Schnabel wird zunächst mit dem Hohlbohrer in die passende Form gebracht und dann mit einem kleinen, flachen Eisen scharf vom Kopf abgegrenzt. An der Unterseite muss er leicht unterschnitten werden. Die Federbüschel werden nur an den Außenseiten durch scharfe Schnitte abgesetzt, innen dagegen sollen sie in einer weichen Rundung, die mit dem Hohlbohrer geschnitten wird, an den Kopf anschließen. Flügel und Schwanzfedern sollten ebenfalls durch harte Kanten vom Rumpf abgegrenzt werden, ebenso die Füße vom Sockel – nicht jedoch vom Körper. Diese Kanten können mit dem Geißfuß vorgeschnitten und dann mit kleineren Flacheisen nachgearbeitet werden. Bevor die Füße fertig gestellt werden, sollte die Standfläche mit einem mittelbreiten Balleisen sauber und ebenmäßig geschnitzt werden. Nur so können die Füße exakte Abgrenzungslinien nach unten erhalten. Der leere Raum unterhalb des Schwanzes hinter den Füßen wird mit einem Hohlbohrer herausgeschnitzt, wobei nicht unbedingt ein Durchbruch entstehen muss. Es genügt, wenn die Form hier angedeutet wird. Je nach Geschmack kann auch noch ein Ast geschnitzt werden, der von den Krallen umfasst wird.

Sind alle Flächen und Kanten saubergeschnitten, werden die Schwungfedern der Flügel durch Kerbschnitte mit einem kleinen Geißfuß, die weicheren Federn an Brust und Schultern durch runde Einschnitte mit dem Hohlbohrer angedeutet.

Am Schluss wird noch der Sockel mit Hilfe eines breiten Flach- oder Balleisens geglättet und an den Kanten leicht gebrochen. Um zu vermeiden, dass durch das Einspannen wieder Druckstellen an den schon fertig gestellten Seiten entstehen, sollten kleine weiche Schaumgummi- oder Stoffreste zwischen Sockel und Schnitzbank gespannt werden.

Schließlich kann noch eine Nachbehandlung der Eule mit Wachs, Öl oder Farbe erfolgen. Bei einem schön gemaserten Holz bringt eine Nachbehandlung mit Öl zur Betonung der Maserung eine schöne Wirkung hervor. Die Holzzeichnung deutet dann das meist fein gesprenkelte Farbmuster der Eule an. Ein besonders schön geschnitztes Federmuster kommt hingegen durch eine zu starke Betonung der Maserung nicht mehr richtig zur Geltung. Man sollte dafür also ohnehin ein gleichmäßiges, unauffälliges Holz wählen. Die geschnitzte Oberfläche kann

Tipp Kerbschnitzereien

Wer in der Ausführung von Kerbschnitzereien geübt ist, kann das Federkleid auch aufwändiger als Muster mit exakt abgesetzten Kanten darstellen oder ganz realistisch mit ziegelartig übereinander liegenden Federn schnitzen. Allerdings ist eine sehr detaillierte Gestaltung der Oberfläche nur bei einer größeren Figur sinnvoll.

Die Entwicklungsstadien der Eule vom Rohling bis zur fertigen Figur

durch eine Oberflächenbehandlung mit Wachs noch zusätzlich betont werden.

Darstellung seltener Tiere

Natürlich gibt es noch unzählige andere interessante und beliebte Tiere. Ob Schildkröte, Seepferdchen, Käfer oder Seestern, es existiert kaum ein Tier, das nicht in irgendeiner Weise als Holzfigur dargestellt werden kann. Fische, Schlangen oder auch Schalentiere, die als Vollholzfigur etwas eigenartig aussehen, können sehr wirkungsvoll im Relief dargestellt werden. Beliebt als Motiv sind z. B. die zwölf Sternzeichen. Steinbock, Widder oder Löwe machen dabei weniger Schwierigkeiten, aber wie schnitzt man einen Krebs oder einen Skorpion? Ihre flache Körperform mit den teilweise waagerecht stehenden Beinen lässt schon wegen der ungünstigen Faserrichtung keine Darstellung als frei stehende Figur zu. Sie werden am besten mit einer Holzplatte verbunden geschnitzt, also als eine Art Relief. Je nach Position zur Faserrichtung können dabei einzelne Beine, Zangen oder der Schwanz des Skorpions aus der Platte herausragen.
Einfacher verhält es sich mit Echsen wie einer Schildkröte oder einem Waran: Sie können als Vollfigur auf ihren vier Beinen stehend geschnitzt werden. Allerdings erfordert das Entfernen der Holzmasse zwischen ihren Beinen etliche Geduld, da wegen der weit auseinander stehenden Beine hier sehr viel an der Hirnholzfläche gearbeitet werden muss. Das Gleiche gilt für den Panzer der Schildkröte. Sehr flache Echsen wie eine Eidechse sollten dagegen besser in der oben beschriebenen Form auf einer Platte dargestellt werden, da ihre waagerecht herausstehenden Beine wegen der ungünstigen Holzfaserrichtung zum Abbrechen neigen. Ein unkompliziertes Motiv ist dagegen der Frosch, dessen kompakte Form auch für Anfänger geeignet ist und eine auf die wesentlichen Flächen reduzierte Darstellung möglich macht. Für eine vereinfachendere, abstraktere Formgebung bieten sich auch Tiermotive wie eine Schnecke oder eine Raupe an.
Bei der Nachbildung der unendlich vielfältigen Tierwelt sind der Fantasie des Schnitzers im Grunde keine Grenzen gesetzt. Ob er sein Motiv frei stehend, als Relief, als hängendes Mobile oder als Spielzeug konzipiert, ob er es nur grob aus dem Holz schlägt oder bis in die feinsten Details ausarbeitet, ob er es nach dem Schnitzen bemalt oder nicht, bleibt ihm selbst überlassen. Die einzige Rücksicht, die er immer nehmen muss, ist die auf die Beschaffenheit des Holzes.

Für Fortgeschrittene

Einen Esel schnitzen

Ein besonders beliebtes Tier, das auch bei keiner Weihnachtskrippe fehlen darf, ist der Esel. Sein sanftmütiges Wesen und seine unendliche Ausdauer als Lasttier werden seit jeher vom Menschen genutzt und geschätzt. Das Aussehen des Esels ist allgemein bekannt, deshalb wurde er hier als Motiv ausgewählt, um die einzelnen Arbeitsschritte beim Schnitzen eines Säugetiers zu demonstrieren. Die Beschreibung der Arbeitsschritte gilt aber im Grunde für jede Tierfigur, die auf vier Beinen geht oder steht. Auch die hier zugrunde gelegte Größe ist variabel.
Wie schon erwähnt, ist die Grundvoraussetzung zum Kennenlernen der typischen Merkmale eines Tiers das gründliche zeichnerische Studium in verschiedenen Positionen. Beim Esel muss, wie bei allen Vierbeinern, besonders auf die richtige Stellung der Beine geachtet werden (s. Seite 36). So könnten die Vorderbeine des Esels parallel nebeneinander, die Hinterbeine dagegen versetzt stehen, auf keinen Fall jedoch beide linken Beine nach vorn und beide rechten nach hinten ausgerichtet sein oder umgekehrt, da dies der natürlichen Beinstellung des Esels widersprechen würde. Die Figur eines Esels wird aber durch eine nicht symmetrische Beinstellung typischer und auch interessanter, denn Vierbeiner stehen auch in Ruhestellung fast immer mit leicht versetzten Beinen. Schon beim Entwurf muss also festgelegt werden, auf welcher Seite die Beine näher zusammenstehen sollen. Typisch für den Kopf sind die im Vergleich zum Pferd sehr langen Ohren, die stehende Mähne und die etwas gewölbte Stirn. Der Rumpf ist, anders als etwa bei einem Rind, eher kurz und die Beine sind im Verhältnis dazu verhältnismäßig lang und werden nach unten hin recht dünn. Die Hufe sind nicht gespalten und zierlich. Das Becken (Kruppe) ist deutlich schmaler als beim Pferd und endet in einem schmalen Schweif mit Quaste.
Als Vorlage für das Schnitzen sollte eine Skizze angefertigt werden, die den Esel in der geplanten Größe von der Seite gesehen zeigt und als Vorlage für den Umriss der zukünftigen Holzfigur dienen kann. Der Esel wird hier stehend und mit gerader Kopfhaltung dargestellt. Dabei muss darauf geachtet werden, dass die Ohren stärker senkrecht als waagerecht stehen, da sie sonst mit ziemlicher Sicherheit abbrechen werden. Wer ein Tier mit waagerecht abstehenden Körperteilen (etwa

Hörnern) als Motiv gewählt hat, sollte diese Teile der Figur extra schnitzen und später ansetzen (s. Seite 58–59). Mit Hilfe der Skizze wird ein schematischer Umriss der Figur gezeichnet, der dann ausgeschnitten und eventuell noch auf Karton übertragen wird, um ihn möglichst einfach auf das Holzstück übertragen zu können. Zuvor muss allerdings festgelegt werden, wie groß die Figur werden soll. Eine zu kleine Figur macht das Schnitzen von Details wie Augen und Ohren unnötig schwierig oder sogar unmöglich. Eine sehr große Figur erfordert viel Zeit- und Kraftaufwand beim Herausarbeiten der groben Form. Da sich der Esel ohnehin sehr gut als Krippenfigur eignet, ist eine entsprechende Größe am geeignetsten. Das verwendete Holzstück, der so genannte Rohling, muss allerdings noch ausreichend Volumen zum Einspannen bieten, denn selbst wenn die Figur später keinen Sockel erhalten soll, benötigt man während der Arbeit trotzdem einen Untersatz, um sie überhaupt sicher befestigen zu können. Für einen Esel von 12 cm Höhe sollte der Rohling also eine Stärke von etwa 6 cm, eine Breite von etwa 14 cm und eine Höhe von mindestens 20 cm haben. Die Schablone wird auf den oberen Teil des Rohlings aufgelegt und der Umriss mit einem weichen und möglichst gut erkennbaren Bunt- oder Bleistift auf die Oberfläche übertragen. Beim Anlegen der Schablone auf das Holzstück muss jedoch auf den richtigen Faserverlauf (Wuchsrichtung parallel zu den Beinen) geachtet werden.
Steht eine Bandsäge zur Verfügung, kann der Umriss damit schnell und einfach ausgesägt werden. Dabei muss jedoch darauf geachtet werden, dass der Strich der Zeichnung stehen bleibt, um später beim Schnitzen noch etwas Spielraum für die Bearbeitung zu haben. Zum Ausschneiden sollte man ein dünnes Sägeblatt verwenden, um differenziert arbeiten zu können. Bei ungeübten Benutzern einer Bandsäge besteht allerdings die Gefahr, dass ein Schnitt zu tief geht und den ganzen Umriss zerstört.

Die Umrissschablone wird mit einer Schere aus dem Karton herausgeschnitten.

Mit Hilfe der ausgeschnittenen Schablone wird der Umriss auf das Holzstück übertragen.

Dann wird die Mittellinie angezeichnet, um später den Überblick nicht zu verlieren.

Das Anlegen der Figur

Der Rohling wird nun fest am vorgesehenen Sockelteil zwischen die beiden Bankhaken oder auch in die Öffnung der Vorderzange gespannt. Je nach Größe des Rohlings können die Bankhaken in die passenden Öffnungen gesteckt werden; bei diesem Beispiel dürfte der kleinstmögliche Abstand zwischen den Haken bzw. die Öffnung in der Schnitzbank ausreichend sein. Alternativ dazu kann das Holz mit einer Figurenschraube an der Schnitzbank oder auch an einem Tisch befestigt werden. Für die hier geplante Figur eignet sich eine kleinere Schraube von ca. 10 cm Länge und höchstens 10 mm Durchmesser mit passender Flügelmutter. Sie wird ca. 5 cm tief von unten in den Sockel gedreht. Zur Erleichterung des Eindrehens kann mit einem etwas dünneren Bohrer vorgebohrt werden. Zwischen die Flügelmutter und die Schnitzbanköffnung wird nun noch ein Stück Holz gelegt, dessen Bohrung etwas breiter als die Schraube ist und das so groß sein muss, dass es nicht durch die Öffnung rutschen kann. Wird das Werkstück mit Hilfe der Figurenschraube eingespannt, federt der Rohling beim Schlagen mit dem Klüpfel häufig zurück oder gerät in Schwingung, sodass das Arbeiten dadurch behindert wird.
Beim Ansetzen des Schnitzeisens zum Herausschlagen des Umrisses muss unbedingt auf die Faser-

Tipp Rohling aussägen

Gibt es keinen Zugriff auf eine Bandsäge, kann man diese Arbeit auch von einem Schreiner erledigen lassen oder aber den Umriss mit einem großen Balleisen und einem Klüpfel herausschlagen. Dies geht in der Regel schneller als das Aussägen mit einer Handsäge. In letzterem Falle sollte der Umriss jedoch auf beiden Seiten des Holzstücks angezeichnet werden, um sicherzugehen, dass er auf beiden Seiten übereinstimmt.

4 Die grobe Form der Außenflächen wird mit großem Flacheisen und Klüpfel aus dem Holz geschlagen.

5 Der Kopf wird von beiden Seiten her schmaler ausgearbeitet. Die Stirn bleibt dabei breiter als das Maul.

6 Die Beine werden zurückgesetzt, um die Bauchrundung deutlich herauszuarbeiten.

7 Der Halsansatz zwischen Kopf und Brust wird mit Hohleisen oder Bohrer angelegt.

8 Rücken und Kuppe werden nach oben hin abgerundet. Der Bauch bleibt stehen.

richtung geachtet werden, da sonst die Gefahr besteht, dass große Holzstücke abbrechen. Ist man sich über die richtige Schnittrichtung noch nicht ganz im Klaren, sollte sie vor jedem großen Schnitt vorsichtig mit einem kleinen Schnitt ausprobiert werden, bevor man den entscheidenden Schlag mit dem Klüpfel ausführt. Wichtig ist auch hier, dass die aufgezeichnete Umrisslinie großzügig stehen gelassen wird.
Ist der Umriss fertig herausgearbeitet, kann mit dem Anlegen der Figur, das heißt mit dem Ausarbeiten der groben Form, begonnen werden. Das Hauptaugenmerk liegt dabei zunächst auf der Gesamtform und dem Festlegen der wesentlichen Körperteile wie Bauch, Beine und Kopf. In dieser Arbeitsphase ist der Klüpfel von unschätzbarem Wert, denn bei richtigem Einsatz spart er viel Kraft und Zeit. Anfänger scheuen sich oft, den Klüpfel einzusetzen, oder beginnen viel zu früh, ohne Klüpfel an der Oberfläche zu schnitzen. Doch für das Gelingen einer Figur ist es sehr wichtig, sich zunächst ohne Rücksicht auf eine glatte oder schöne Oberfläche nur auf die Befreiung der Form aus dem Holz zu konzentrieren. Sämtliches überflüssiges Holz muss entfernt werden, bis die charakteristische Gesamtform und alle Körperteile der Tierfigur ansatzweise erkennbar sind. Dazu eignen sich Hohlbohrer oder Hohleisen in verschiedenen Größen besonders gut. Sie erlauben ein langsames Herantasten an die Form und schaffen Flächen, die leicht wieder korrigiert werden können.
Zur Bearbeitung großer Flächen können auch große, etwas flachere Hohleisen oder Flacheisen verwendet werden. Balleisen verkanten sehr leicht und sind deshalb auch für das Anlegen gerader Flächen weniger geeignet. Für die Entfernung großer Holzmassen ist der Einsatz eines schweren Klüpfels sinnvoll, für das genauere Anlegen der einzelnen Körperteile eignet sich ein leichterer Klüpfel, der dann nicht mehr so kräftig geschwungen, sondern gezielter und feiner eingesetzt werden kann.
Beim Anlegen der Figur arbeitet man von außen nach innen, deshalb sollte man sich zunächst auf das Herausarbeiten der außen liegenden Körperteile konzentrieren. Dabei wird von allen Seiten gleichmäßig in die Tiefe gearbeitet. In dieser Phase der Arbeit kann es hilfreich sein, sich die Figur in einem Wasserbad liegend vorzustellen, an der das Wasser langsam abfließt. Das wegfließende Wasser gleicht der Holzmasse, die vom darin „eingesperrten" Tier entfernt wird.
Solange die äußeren Punkte der Figur nicht festgelegt und herausgearbeitet sind, hat es wenig Sinn, sich mit den tiefer liegenden Bereichen zu beschäftigen. Wichtige äußere Punkte sind bei unserem Esel Ohren und Schnauze (von vorn gesehen), Schwanz und hin-

Tipp Geißfuß einsetzen

Mit dem Einsatz eines Geißfußes sollte möglichst lange gewartet werden, denn er gräbt tiefe Kerben ins Holz, die sich nur schwer korrigieren lassen. Für das Anlegen kräftiger Linien eignet sich ein hochschenkliger Hohlbohrer mindestens genauso gut.

Die Position der einzelnen Köperteile wird immer wieder neu angezeichnet.

Die Position jedes Beins wird zunächst mit Hohleisen oder Hohlbohrer angelegt.

Die Schwanzlinie wird mit einem kleinen Hohlbohrer festgelegt. Unten bleibt der Steg etwas breiter.

Etwas mühsam ist die Entfernung der Holzmasse zwischen den Beinen, bis ein Durchbruch erreicht ist.

Auch zwischen Vorder- und Hinterbeinen entsteht jeweils ein schmaler Durchbruch.

Die Innenseiten der Beine werden erst dann bearbeitet, wenn die Außenseiten festgelegt sind.

Der Kopf wird detailliert ausgearbeitet. Dabei muss genügend Platz für die Augen ausgespart werden.

Die Gelenke an den Vorderbeinen werden mit einem kleinen Hohleisen oder Hohlbohrer angelegt.

Hinterbeine und Schwanzlinie werden ausgearbeitet und Durchbrüche vergrößert.

ten stehendes Hinterbein (von hinten gesehen) sowie der Bauch (von rechts und links gesehen), der beim Esel deutlich ausladender ist als Brust und Becken. Sind diese Körperstellen festgelegt, kann mit der Ausarbeitung des Kopfes, der Brust und des Hinterteils begonnen werden. Von der Holzmasse zwischen den Beinen sollte zunächst noch nicht zu viel weggeschlagen werden, da sie bei der Grobarbeit für Stabilität sorgt. Es ist sinnvoller, zunächst die Position der Beine herauszuarbeiten und dann erst einen Durchbruch zu schnitzen, denn es dauert ziemlich lange und erfordert Geduld und Kraft, bis auch nur ein kleines Loch zu sehen ist. Hierzu setzt man am besten einen großen Hohlbohrer Stich 11 ein, der dann eventuell noch durch einen etwas kleineren Hohlbohrer ausgetauscht werden kann. Dabei wird die Figur abwechselnd von rechts und von links eingespannt, um von beiden Seiten aus arbeiten zu können. Bei der Erweiterung des Durchbruchs muss zunächst an der Seite begonnen werden, an der die Beine näher zusammenstehen, da hier ein etwas schmalerer Zwischenraum entsteht. Der Durchbruch darf auf keinen Fall so sehr vergrößert werden, dass kein Spielraum mehr für die Position der Beine verbleibt. Die Beine dürfen deshalb während des Anlegens

Tipp Formen anzeichnen

Um eine bessere Vorstellung von der Form der Figur zu bekommen, kann man die Position der Körperteile mit dem Bleistift am Rohling anzeichnen. Natürlich werden die markierten Stellen mit fortschreitender Arbeit immer wieder weggeschnitzt. Deshalb muss man sich in regelmäßigen Abständen erneut einen Überblick verschaffen, indem man die Figur aus einigem Abstand von allen Seiten her betrachtet. Nur aus der Entfernung können die Proportionen richtig beurteilt, Fehler erkannt und korrigiert werden. Die immer wieder neu angebrachten Bleistiftmarkierungen sind dabei eine wertvolle Gedächtnisstütze.

auch noch nicht zu dünn ausgearbeitet werden, da sie bei der kräftigen Bearbeitung des Rumpfes brechen könnten. Meist ist dieser Hinweis allerdings überflüssig, da vor allem ungeübte Schnitzer oft sehr vorsichtig vorgehen und aus Angst, es könnte zu viel Holz weggeschlagen und die Figur so verdorben werden, anfangs nicht sehr zügig und effektiv arbeiten.
Wer die Arbeit mit dem Klüpfel als hinderlich empfindet, kann ihn nach dem Wegschlagen der größten Holzmassen aus der Hand legen und mit beiden Händen weiterschnitzen. Die Figur sollte dazu jedoch zumindest grob angelegt sein. Sowohl die Breite von Becken und Brust und die Stellung der Beine als auch die Form der beiden Ohren und des Mauls, die Breite des Kopfes, die Linie des Unterbauchs und damit auch der Raum zwischen den Vorder- und Hinterbeinen sollten festgelegt sein. Danach kann entweder ein leichterer Klüpfel zur Hand genommen werden, mit dem sich einzelne Körperteile und Details ebenfalls gut herausarbeiten lassen, oder es kann ohne Klüpfel weitergearbeitet werden. Mit einem kleinen Hohlbohrer Stich 11, der in dieser Arbeitsphase immer noch einem Geißfuß vorzuziehen ist, werden nun Einschnitte, etwa zwischen den Ohren, zwischen den Vorder- und Hinterbeinen, seitlich des Schwanzes, am Übergang von der Brust zum Hals und vom Hals zum Kopf angelegt. Dann können mit Hohl- oder Flacheisen Stich 3–7 die Körperformen, etwa die Rundung des Bauchs oder die Flächen an den Seiten und am Kopf, genauer herausgearbeitet werden. Wichtige Punkte wie die Position der Knie an den Beinen und der Augen am Kopf werden mit Hilfe kleiner Hohleisen (Stich 7 oder 8) angelegt. Die einzelnen Körperteile sollten schon erkennbar und möglichst genau positioniert sein, bevor mit dem Durchbruch von vorn und von hinten zwischen Vorder- und Hinterbeinen begonnen wird. Hierzu wird ein kleiner Hohlbohrer ge-

Tipp Hirnholzflächen

Bei der Bearbeitung von Hirnholzflächen sollte möglichst immer ein Klüpfel eingesetzt werden, um nicht unnötig viel Kraft aufzuwenden.

wählt. Um das Holz auch von der Innenseite der Beine her wegschnitzen zu können, wo es für die Schnitzeisen schwer zugänglich ist, muss die Figur waagerecht eingespannt werden. So lassen sich zu große Verrenkungen des Schnitzers vermeiden. Die Bauchunterseite und der Rücken lassen sich – ebenso wie auch die Sockelstandfläche – besonders schwer bearbeiten, da hier an der Hirnholzfläche geschnitzt werden muss. Um dabei nicht unnötige Kräfte zu verschwenden, müssen, wie zuvor schon beschrieben, zunächst die Seitenteile auf die richtige Breite gebracht werden, bevor man diese Flächen in Angriff nimmt. Auch hier ist, wie bei allen anderen Durchbrüchen, die Verwendung des Klüpfels sehr zu empfehlen, denn wer versucht, diese Flächen ohne Klüpfel zu bearbeiten, macht es sich unnötig schwer und wird kräftemäßig bald an seine Grenzen stoßen. Während der Bearbeitung der Rücken- und Bauchpartien müssen die Beine noch einigermaßen stabil ausgebildet sein. Ihre exakte Ausarbeitung sollte also erst anschließend erfolgen. Selbst bei sehr

1
Beide Flächen werden mit Holzleim bestrichen.

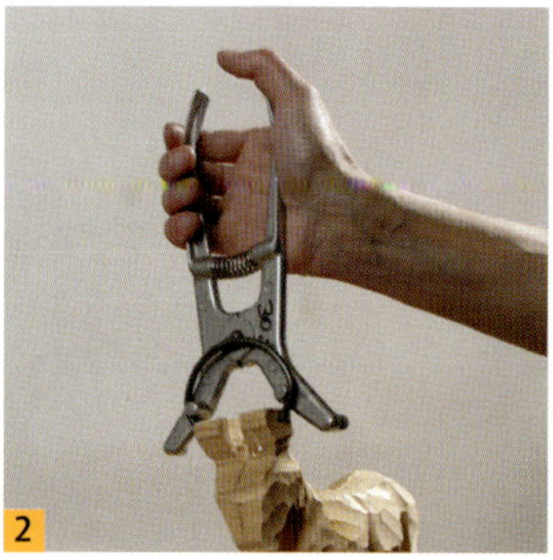
2
Mit Hilfe des Rahmenspanners wird die Klemme angesetzt.

3
Überschüssiger Leim wird sofort mit einem Läppchen entfernt.

sorgfältigem Arbeiten kommt es hin und wieder vor, dass durch einen versehentlichen Schnitt gegen die Faserrichtung oder an einer besonders schwierigen Stelle ein Stück Holz wegbricht. Oft trifft es herausragende Körperteile wie das Maul oder die Ohren. Ist dies geschehen, muss zunächst das abgebrochene Teil gesichert werden, das heißt, man muss die Arbeit sofort unterbrechen, das Schnitzeisen – möglichst ohne etwas auf der Schnitzbank zu verschieben – weglegen und behutsam nach dem Holzstück suchen. Vor allem bei kleineren Holzstückchen kann die Suche manchmal länger dauern, denn zwischen all den gleichfarbigen Holzspänen auf der Schnitzbank und auf dem Boden sind sie schwer auszumachen. Oft hilft es, wenn man sich zunächst vor Augen führt, wie das Stückchen ungefähr aussehen muss. Ist das fehlende Teil gefunden, werden beide Bruchstellen mit Holzleim bestrichen und wieder aneinander gefügt. Da die Bruchstellen meist unregelmäßig und etwas faserig sind, lassen sie sich ähnlich wie Puzzleteile wieder zusammenpassen.
Zum Zusammenpressen wird eine passende Rahmenklammer mit Hilfe des Klammerspanners auseinander gezogen und so positioniert, dass sie die verleimten Flächen genau zusammenhält und möglichst straff zusammengespannt ist (s. Seite 48).
Bevor der Leim nicht getrocknet ist (die ungefähre Trockenzeit findet man in der jeweiligen Gebrauchsanweisung), kann an der Figur nicht weitergearbeitet werden. Dieser ganze Aufwand kann allerdings vermieden werden, wenn noch genügend Spielraum in der Holzmasse vorhanden ist. Dies sollte zuvor genau geprüft werden. Manchmal lässt sich der gesamte Entwurf auch noch um Nuancen verändern und das fehlende Teil an einer etwas tiefer gelegenen Stelle neu anlegen.

1 Die großen Flächen des Esels werden mit einem großen Flacheisen saubergeschnitzt.

2 Für die gewölbte Bauchfläche wird das Schnitzeisen umgedreht und sehr flach angesetzt.

Sauberschneiden der Figur

Ist die Form der Figur klar herausgearbeitet und jedes Körperteil deutlich erkennbar, kann mit dem Sauberschneiden, also mit der Bearbeitung der Oberfläche begonnen werden. Dies sollte aber erst dann geschehen, wenn alles überflüssige Holz entfernt ist. Der Übergang vom Anlegen zum Sauberschneiden ist zwar fließend, doch häufig wird der Fehler gemacht, dass an Stellen, an denen die endgültige Form noch nicht klar herausgearbeitet ist, schon die Oberfläche in Angriff genommen wird. Muss die Form dann nochmals korrigiert werden, war die ganze Arbeit umsonst. Eigentlich kann eine Figur, bei der alle Details angelegt sind, schon als fast fertig angesehen werden, denn im Grunde genommen ist die Formgebung die Hauptarbeit und die Gestaltung der Oberfläche reine Geschmackssache. Auch eine Oberfläche, die noch deutlich die Spuren und Schläge der Schnitzeisen zeigt, kann sehr reizvoll aussehen. Dies gilt allerdings eher für große Figuren. Bei kleineren Figuren gehen durch allzu auffällige Werkzeugspuren die Details verloren. Trotz alledem nimmt das Sauberschneiden häufig weitaus mehr Zeit in Anspruch als das Herausarbeiten der Form. Hier werden auch wieder ganz andere Anforderungen an das Können des Schnitzers gestellt, die zuvor noch nicht so sehr gefragt waren. Beim Sauberschnei-

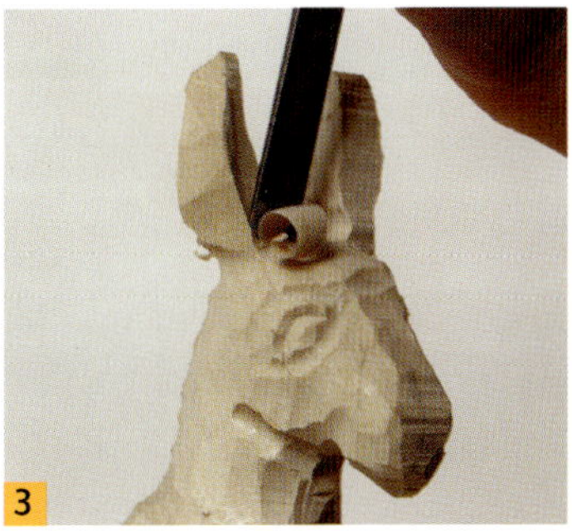

3 Die Ohren werden mit einem kleinen Flacheisen in die richtige Form gebracht.

4 Bei der Arbeit an den Beinen muss ständig die Schnittrichtung gewechselt werden.

5 Mit einem kleinen Hohlbohrer wird als Nächstes vorsichtig ein Durchbruch geschnitzt.

den kommt es auf exakte Schnitte und ein sicheres Feingefühl für den Faserverlauf an. Besondere Anforderungen an das Können des Schnitzers stellen unregelmäßig gewachsene Stellen im Holz oder eingewachsene Äste. An solchen Stellen verläuft die Faser oft wellig oder quer zur eigentlichen Wuchsrichtung, an Aststellen meist ringförmig rund um den Ast. Hier muss man sich langsam an die Form herantasten und den Faserverlauf durch Ausprobieren „erfühlen". Die glatt geschnitzte Oberfläche hat besonders an solchen Stellen oft eine sehr schöne Struktur. Dunkle Äste können allerdings auch störend für die Gesamtwirkung sein.
Beim Sauberschneiden muss stärker auf die richtige Wahl der passenden Schnitzeisen geachtet werden als beim Anlegen der Figur. Meist werden hier eine Reihe verschiedener Eisen benötigt. Es ist sinnvoll, zunächst mit dem Glattschneiden der großen Flächen an Rumpf und Kopf zu beginnen. Dazu sind etwas breitere Flacheisen, je nach Fläche etwa Stich $2\frac{1}{2}$–4, sehr gut geeignet. Für ganz gerade Flächen sollte man ein sehr flaches Flacheisen oder eventuell auch ein Balleisen verwenden; für gewölbte Flächen kann das Flacheisen auch umgedreht werden. Dabei darf es jedoch nicht zu steil angesetzt werden. Entspricht die Wölbung (der Stich) des Schnitzeisens genau der Wölbung der Form, kann mit nur wenigen Schnitten eine sehr ebene Oberfläche erzielt werden, die kaum noch Werkzeugspuren, die so genannten „Schläge", zeigt. Man sollte also genau auswählen, welches Schnitzeisen für welche Stelle am besten geeignet ist und die Auswahl ständig korrigieren, wenn sie sich als ungünstig herausstellt. Ein geübter Holzschnitzer greift ganz automatisch zum richtigen Eisen, denn mit der Zeit bekommt man ein Gefühl dafür, welche Eisen häufiger gebraucht werden, und legt sie sich gleich bereit. Gut geschliffene Eisen ergeben beim Sauberschneiden eine glänzende Schnittfläche.
Sind alle größeren Flächen wie Rücken, Seiten, Bauchrundung, Halsflächen mit den unterschiedlichen Wölbungen oder Höhlungen überarbeitet, kommen die kleineren Flächen an die Reihe. Vor allem der Kopf besteht aus vielen kleinen Flächen und Rundungen, die in die verschiedensten Richtungen laufen und als Ganzes den typischen, aber recht komplizierten Aufbau ergeben. Die schmale Vorderseite wird mit dem kleinen Flacheisen geschnitten. Für die gewölbte Stirn kann es umgedreht werden, um die Rundung genau nachzuschneiden. Die Hauptflächen des Kopfes bilden die Seiten. Hier wird zunächst mit einem kleinen Hohleisen die Augenwölbung herausgehoben und anschließend mit einem Flacheisen die Gesamtfläche geglättet. Das Auge selbst wird zunächst mit dem umgedrehten Flacheisen als saubere Halbkugel vorbereitet. Dann wird die obere Lidlinie mit einem kleinen Geißfuß oder einem Hohlbohrer vorsichtig vorgekerbt. Mit zwei kleinen Hohleisen (etwa Stich 6 und 7) wird die Linie dann zu einer scharfen Kante nachgeschnitten. Dabei wird abwechselnd mit dem umgedrehten flacheren Eisen von unten – genau der Wölbung des Augapfels folgend – und mit dem stärker gewölbten Eisen – genau der Lidkante folgend – von oben ein Schnitt gesetzt. Dies wird im Wechsel so lange wiederholt, bis eine saubere Oberlidkante entstanden ist. Die untere Begrenzung des Auges wird mit einem Hohlbohrer als weicher Übergang

Tipp Schmutzfilm

Durch den ständigen Schnitzeisenwechsel und (unmerklich) entstehenden Schweiß bildet sich beim Sauberschneiden ein Schmutzfilm auf den Händen, der sich nach einiger Zeit als dunkler Schmutz auch auf der Figur wiederfindet. Besonders anfällig sind die äußeren Flächen und jene Punkte, die ständig zum Abstützen der Hände verwendet werden. Ein solcher Grauschleier kann nur durch nochmaliges Überarbeiten entfernt werden. Um es gar nicht so weit kommen zu lassen, müssen die Hände in regelmäßigen Abständen mit Seife gewaschen werden.

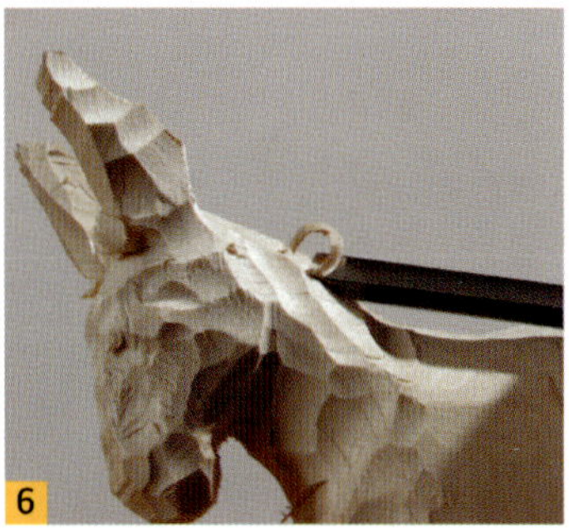

6 Die Begrenzung der Mähne wird an beiden Seiten mit dem Hohlbohrer geschnitten.

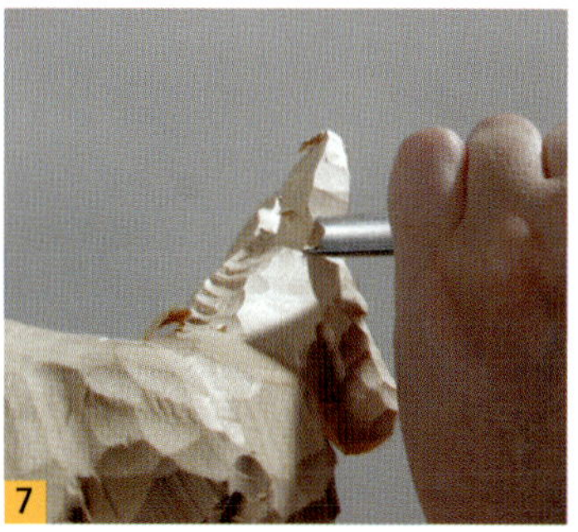

7 Die hinteren Ansätze der Ohren werden ebenfalls mit dem Hohlbohrer weich geschnitzt.

8 Die Augäpfel werden mit ganz kleinen Flacheisen oder Hohleisen ausgearbeitet.

Der Sockel wird mit einem breiten Flach- oder Balleisen ganz gerade geschnitzt.

Die Ansätze der Beine am Bauch werden mit einem kleinen Hohlbohrer saubergeschnitten.

Die Standflächen der Hufe müssen oft noch etwas nachgeschnitten werden.

geschnitzt und die Wölbung des Augapfels mit einem kleinen flacheren Eisen schließlich nochmals korrigiert. Der Ohrenansatz am Kopf wird mit einem kleinen Hohlbohrer (Stich 11) zunächst ebenfalls als weicher Übergang geschnitzt; nur an der Vorderseite entsteht eine harte Kante. Die Ohren selbst werden mit einem Flacheisen in Form geschnitten und oben zugespitzt. Die geschwungene Linie zwischen Unterkiefer und Halsansatz kann mit einem Hohleisen von beiden Seiten her kräftig eingekerbt werden. Das Maul wird mit einem umgedrehten Flacheisen abgerundet, bevor die Nasenflügel mit dem Hohlbohrer eingeschnitten werden. Sie dürfen jedoch nicht einfach als runde Löcher geschnitzt werden, sondern müssen oben etwas spitz zulaufen und kleine Wölbungen zeigen. Da der Esel eine stehende Mähne hat, wird am Halsrücken zunächst mit einem kleinen Hohleisen eine schmale, regelmäßige Leiste geschnitten, die oben mit einer geraden Fläche abschließt und später mit Hilfe von Geißfuß oder einem winzigen Hohlbohrer (Stich 11) noch Zierschnitte bekommt. Der Übergang der Mähne zum Hals wird mit einem Hohleisen weich angedeutet.
Zur Ausarbeitung aller Ansätze vom Rumpf zum Hals, zu den Beinen und zum Schweif eignen sich je nach Vertiefung Hohleisen und Hohlbohrer am besten. Auch die Beine werden zunächst mit Hohleisen genauer ausgearbeitet. Dabei muss die Rundung und Verbreiterung an den Gelenken berücksichtigt werden, besonders auch an den Gelenken direkt oberhalb der Hufe. Sie spielen eine große Rolle für die Gesamterscheinung. Sind sie zu grob oder bleiben gar unberücksichtigt, wirkt der Esel steif und unbeweglich. Schwierig wird das Schnitzen besonders an den Innenseiten der Beine, da man dort mit den Schnitzeisen nur schlecht hingelangt. Die Figur muss deshalb immer wieder seitlich eingespannt werden. Auf keinen Fall sollte man sie jetzt schon ausspannen und aus der Hand bearbeiten. An den schwierigen Hirnholzflächen am Unterbauch und zwischen den Beinen rutscht das Schnitzeisen häufig ab und verletzt dann die haltende Hand. Diese Flächen, für die ab und zu noch ein kleiner Klüpfel gebraucht wird, müssen also ganz fertig gestellt sein, bevor die Beine dünner ausgeformt werden. Die Flächen an den Oberschenkeln und die nach hinten weisenden Sprunggelenke der Hinterbeine werden am besten mit einem kleinen Flacheisen geschnitzt, ebenso die schmale Leiste des Schweifs mit der dicker auslaufenden Quaste. Um die Haare der Quaste anzudeuten, können mit dem Geißfuß Zierschnitte eingekerbt werden. Besonders an den Beinen muss ständig die Schnitzrichtung gewechselt werden, um nicht gegen die Faser zu schneiden, da sie mehr oder weniger parallel zur Wuchsrichtung verläuft.
An diesen besonders kritischen Stellen besteht die Gefahr, dass zu viel Material abgenommen und das Bein zu dünn wird. Deshalb sollte man die Figur immer wieder ausspannen und prüfen, ob die soeben bearbeitete Stelle noch über genug Spielraum verfügt, um daran weiterzuarbeiten.
An den Ansätzen von Hals und Beinen wird mit Hilfe kleiner Hohleisen ein möglichst weicher Übergang ausgeformt. Harte Kanten dürfen nur am Übergang der Hinterbeine zum Bauch (am Knie) und gegenüber, an den Hinterseiten der Vorderbeine entstehen.
Ist eine Figur mit Sockel geplant, muss auch er mit Hilfe eines großen Balleisens saubergeschnitten werden. Dabei sollte zunächst die Oberseite möglichst ebenmäßig geschnitzt werden. Erst wenn diese Fläche festgelegt ist, kommen die Hufe an die Reihe. Sie erhalten

Tipp Übergänge

Schwierige Übergangsstellen, die weder durch Schnitte von oben noch von unten geglättet werden können, sollten am besten vorsichtig mit einem kleinen Hohleisen bearbeitet werden. Durch vorsichtiges Drehen oder Ziehen des Eisens quer zur Faserrichtung lassen sich auch diese etwas kniffligen Bereiche glätten.

einen halbkreisförmigen Querschnitt und werden von hinten mit einem kleinen Hohleisen leicht ausgehöhlt. Die Abgrenzungen der Hufe zum Bein arbeitet man ebenfalls mit dem Hohleisen heraus, ebenso die Gelenke etwas oberhalb der Hufe an der Hinterseite der Beine. Die unteren Hufkanten grenzt man mit dem Geißfuß scharf ab und schneidet sie eventuell mit dem Flacheisen nach. Zum Schluss werden die seitlichen Sockelflächen überarbeitet, zuerst die kurzen, dann die langen Seiten. Soll der Esel direkt auf seinen Beinen stehen, also keinen Sockel erhalten, muss die Standfläche trotzdem möglichst eben und glatt geschnitzt sein, damit alle Beine gleich lang werden und nach dem Absägen ein guter Stand gewährleistet ist. In diesem Fall muss jedoch kein großer Wert auf einen schönen Übergang von den Hufen zur Standfläche gelegt werden. Die Hufe sollten allerdings noch etwa einen Millimeter Spielraum nach unten haben, um sie, falls nötig, nach dem Abschneiden des Sockels korrigieren zu können. Eine ebene Standfläche erleichtert auch das Ansetzen der Bandsäge beim Absägen der Figur. Mit einer schiefen Standfläche ist es fast unmöglich, einen gleichmäßigen Schnitt zu erreichen. Das Sägeblatt sollte hier möglichst dünn und breit sein. Steht keine Bandsäge zur Verfügung, kann zum Absägen auch eine Handsäge verwendet werden. Der Sockel wird in diesem Fall so eingespannt, dass die Figur quer nach vorn heraussteht.
Nach dem Absägen wird die Figur auf eine gerade Fläche, z. B. die Schnitzbank, gestellt, um zu prüfen, ob sie gut steht. Sollte dies nicht der Fall sein, müssen die Hufe vorsichtig auf die richtige Länge und den richtigen Winkel geschliffen werden. Dazu legt man ein mittelgrobes Schleifpapier auf die Schnitzbank oder eine andere Fläche, stellt die Figur darauf und fährt unter etwas Druck mit allen Hufflächen gleichmäßig hin und her. An den Schleifspuren an der Unterseite der Hufe lässt sich genau erkennen, welches Bein zu lang ist oder den falschen Winkel hat. Wichtig ist, dass beim Schleifen alle Hufe das Schleifpapier berühren. Auf einer glatten Fläche sollte immer wieder überprüft werden, ob der Esel fest auf allen vier Beinen steht. Sind alle Hufunterseiten gerade ausgeführt, werden die Kanten der Hufe mit dem Schnitzmesser saubergeschnitten. Noch vorhandene unsaubere Stellen an der Unterseite der Figur, z. B. am Ansatz der Beininnenseiten, können dann mit dem Schnitzmesser oder aber mit einem kleinen Hohlbohrer korrigiert werden.
Nun ist der Esel eigentlich fertig gestellt. Es bleibt dem Geschmack des Einzelnen überlassen, ob die Figur zum Abschluss bemalt, geölt oder gewachst werden soll. Häufig wird auch erwogen, die Oberfläche einer Figur noch mit Raspeln, Feilen und Schleifpapier weiterzubearbeiten, wovon in diesem Fall dringend abzuraten ist. Der Glanz der Schnittflächen und die lebendige Oberfläche würden dadurch mit Sicherheit verloren gehen. Die meisten erfahrenen Schnitzer halten ohnehin nicht viel vom Schleifen und setzen ihren Ehrgeiz darein, die Holzoberfläche allein mit den Schnitzeisen glatt und sauber zu bekommen. Durch das Schleifen wird eine Figur selten lebendiger. Nur bei ganz einfachen, eher abstrakten Formen ohne Details macht das abschließende Schleifen mitunter Sinn, besonders wenn es sich um ein stark gemasertes, interessantes Holz handelt. Doch auch solche Formen wirken in der Regel lebendiger und glänzen schöner, wenn sie nur mit den Schnitzeisen geglättet wurden.
Soll die Figur ihren natürlichen Holzcharakter möglichst behalten, ist es am sinnvollsten, sie abschließend nur mit Wachs zu behandeln. Die Wachsschicht bietet Schutz vor Verschmutzung durch häufiges Anfassen, verleiht der Figur aber nur einen ganz matten Glanz und ändert kaum etwas an der natürlichen Farbe des Holzes. Durch eine Behandlung mit Öl tritt die Maserung etwas stärker hervor und die Farbe wird dunkler. Falls der Esel

Mit einem weichen Lappen wird das Wachs aufgetragen. Durch die Behandlung mit Wachs wird die Farbe des Holzes betont und die Figur auch geschützt.

etwa als Ergänzung für eine farbige Krippe gedacht ist und etwas Farbe erhalten soll, sind lasierende Wasserfarben am geeignetsten. Eine zu kräftige Farbgebung trägt bei einer eher zarten Figur nicht unbedingt zu einer besseren Wirkung bei und mindert eher den Gesamteindruck.

Fellstrukturen

Soll ein Tier mit einem dicken Fell, etwa ein Bär oder ein Schaf, geschnitzt werden, stellt sich spätestens beim Sauberschneiden die Frage nach der Darstellung des Fells. Auch hier gibt es, abhängig von der Größe des Tiers und vom individuellen Geschmack, verschiedene Möglichkeiten. Bei großen Figuren, die vorwiegend mit dem Klüpfel bearbeitet werden, kann eine sehr lebendige Struktur erreicht werden, indem die Oberfläche mit einem breiten Flacheisen gleichmäßig behauen wird. Dazu wird das Schnitzeisen genau an der äußeren Form entlanggeführt und dabei unter ständigem Richtungswechsel mit ganz kleinen Schlägen des Klüpfels vorangetrieben. Dadurch entstehen viele kleine, eng aneinander liegende Flächen, die ein raues, fellartiges Muster ergeben und die Gesamtform schraffurartig unterstreichen. Diese Technik wurde bei der Figur des Wildschweins auf Seite 26 angewendet. Bei kleineren Tierfiguren kommt eine andere Methode zum Einsatz. Zunächst wird die Oberfläche des Bereichs, der eine Fellstruktur erhalten soll, sauber und glatt geschnitzt. Je nach Beschaffenheit des Fells werden dann entweder mit einem kleinen, spitzen Geißfuß oder mit einem kleinen Hohlbohrer Linien oder Muster eingekerbt. In der Regel verlaufen diese Linien hauptsächlich vertikal, doch kann die Richtung am Ansatz der Beine und am Kopf auch stark variieren. Ein wolliges oder krauses Fell, wie etwa beim Schaf, kann durch kleine Wellenlinien mit dem kleinen Hohlbohrer sehr schön und charakteristisch dargestellt werden. Das Zottelfell eines Bären besteht eher aus glatten Haaren und sollte deshalb eine Struktur aus geraden Linien bekommen. Welche Darstellungsform auch gewählt wird, das Muster sollte nie zu gleichmäßig geschnitten werden. Durch unregelmäßige Unterbrechungen oder unterschiedliche Längen der eingekerbten Linien wird eine größere Lebendigkeit erreicht. Ein interessantes Muster kann auch durch eine Kombination von Geißfuß- und Hohlbohrerschnitten entstehen, z. B. bei Tieren, deren Deckhaar glatt ist, die aber am Bauch ein eher wolliges Fell haben. Wer mag, kann die einzelnen Haarbüschel- und -strähnen auch kunstvoll mit kleinen Hohleisen herausarbeiten. Bei einer abstrakteren Darstellung des Motivs kann die Fellstruktur natürlich auch völlig weggelassen werden. Der Fantasie sind hier keine Grenzen gesetzt. Wie viel Zeit und Sorgfalt auf das Schnitzen des Fells verwendet wird, bleibt den persönlichen Vorlieben überlassen.

Seelöwe aus Mahagoni. Bei dieser Figur wurde durch feines Schleifen das glatte Robbenfell betont.

Aus der Hand schnitzen

Spielzeugtiere

Das Rehkitz erhielt mit wenigen Schnitten ein sehr charakteristisches Aussehen.

Das Schnitzen kleiner Tiere mit dem Schnitzmesser stellt nur minimale Anforderungen an Arbeitsplatz und Werkzeug. Es kann ohne weiteres auch in der Wohnung oder irgendwo in der freien Natur erfolgen und setzt weder große Holzvorräte noch Maschinen voraus. Seit Jahrtausenden haben die Menschen auf diese Weise Holzspielzeug und andere nützliche Dinge hergestellt.
Verfügt man über eine Dekupiersäge oder hat Gelegenheit, eine solche Maschine zu benutzen, kann man sich die Arbeit allerdings bedeutend erleichtern. Mit ihr können schnell und ohne großen Aufwand kleine Rohlinge hergestellt werden, sei es für einen Spielzeugbauernhof oder für eine kleine Weihnachtskrippe. Die Vorgehensweise ist recht einfach: Der Umriss des Tiers wird aus dem Holzbrett exakt ausgesägt und anschließend werden die Feinheiten mit dem Schnitzmesser geschnitzt. Auf diese Weise kann in kurzer Zeit ein ganzer Zoo von Tieren entstehen. Ihrer Größe sind allerdings durch die maximale Holzstärke bei der Arbeit mit der Dekupiersäge (ca. 5 cm) und durch die Beschränkungen beim Schnitzen aus der Hand Grenzen gesetzt. Ein Schnitzmesser kann nur bis zu einer Figurengröße von etwa 5 x 7 cm Höhe und Länge sinnvoll eingesetzt werden. Größere Figuren sind nur noch mühsam auf diese Weise zu schnitzen, kleinere aber durchaus möglich.

Tipp Schablone fertigen

Natürlich ist es am besten, wenn man sich die nötigen Schablonen selbst erarbeitet. Wer allerdings dazu keine Zeit oder Lust hat, kann auch auf Bildvorlagen aus Tierbüchern oder -zeitschriften zurückgreifen und einfache Umrisslinien von Tieren abpausen. Falls notwendig, kann man sie am Kopierer auf die passende Größe verkleinern.

Vorgesägte Umrisse verschiedener Motive

... und die fertig geschnitzten Tiere

Beim Schnitzen aus der Hand steht und fällt die gesamte Figur mit dem Umriss des Tiers. Deshalb muss auf die Vorbereitung, also die Herstellung der Umrissschablonen, einige Sorgfalt verwendet werden. Je genauer das Bild ist, das man von dem jeweiligen Tier im Kopf hat, desto leichter trifft man auch dessen typische Umrisslinie. Wie bei allen Tierfiguren kann der Vorstellung am besten durch intensive Tierbeobachtung, verbunden mit wiederholtem und gründlichem Zeichnen, auf die Sprünge geholfen werden.
Nicht jedes Tier eignet sich gleich gut als Motiv für diese Art der Schnitzerei. Besonders gut geeignet sind Tiere, die einen typischen und prägnanten Körperumriss haben, wie etwa ein Elefant oder ein Kamel. Um die typischen Körperformen noch zu betonen, sind leichte Übertreibungen auffälliger Merkmale erlaubt. Wird eine ganze Gruppe von Tieren geplant, muss auf das richtige Größenverhältnis der Tiere untereinander geachtet werden. Beispielsweise sind Schafe und Ziegen deutlich kleiner als Rinder oder gar Pferde, was bei der Herstellung eines ganzen Bauernhof-Ensembles von Bedeutung ist.
Die fertigen Tierschablonen werden aus Papier oder dünner Pappe ausgeschnitten und unter Berücksichtigung des Faserverlaufs möglichst ökonomisch auf das Holzbrett aufgelegt. Dünne, lange Körperteile wie Beine und Schwanz sollten parallel zum Faserverlauf liegen, da sie sonst abbrechen könnten – wenn nicht schon beim Schnitzen, dann aber spätestens beim Spielen mit den Figuren. Da die Tiere später aus der Hand beschnitzt werden, muss hier kein Sockel zum Einspannen vorgesehen werden. Sollte ein Sockel dennoch gewünscht sein, gestaltet sich die Schnitzarbeit eher schwierig, da er die freie Handhabung des Schnitzmessers an den Beinen behindert.
Die Umrisse müssen mit einem möglichst dünnen Stift aufs Holz übertragen werden, da die Dekupiersäge ein sehr feines Sägeblatt besitzt und entsprechend dünne Schnitte ausführt. Beim Sägen muss das Brett fest nach unten gedrückt werden, damit es nicht durch die Auf- und Abbewegung des Sägeblatts nach oben geschleudert wird. Sehr gute Dekupiersägen besitzen einen kleinen Hebel direkt neben dem Sägeblatt, der so eingestellt werden kann, dass er das Holzbrett niederhält. Er darf aber nicht so fest aufliegen, dass er die Bewegung des Brettchens erschwert. Die Rüttelbewegung des Sägeblatts ist am Anfang etwas gewöhnungsbedürftig, aber völlig ungefährlich. Ein kleineres Holzstück lässt sich auf einer Dekupiersäge bes-

Die gesägten Rohlinge und die daraus geschnitzten Tierfiguren

1

Der Umriss wird mit Hilfe von Kohlepapier von der Folie auf dünne Pappe übertragen.

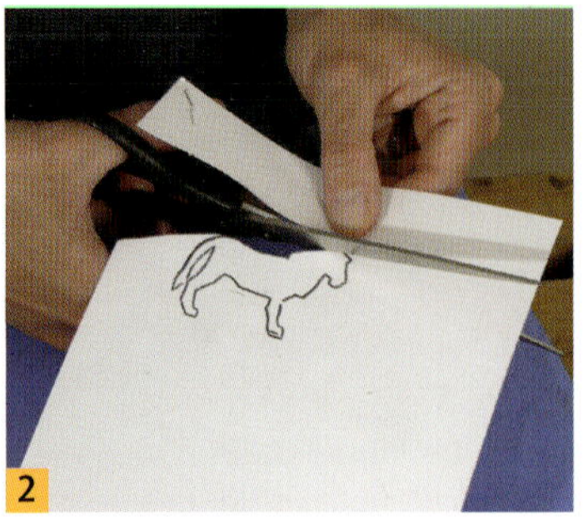

2

Die Schablone wird mit der Schere (oder einem Tapetenmesser) ganz exakt ausgeschnitten.

3

Der Schablonenumriss wird unter Berücksichtigung der Faserrichtung auf das Holzbrett übertragen.

ser führen. Deshalb ist es sinnvoll, das Holzstück zunächst grob auf die Maße des Tiers vorzuschneiden, bevor mit dem Sägen des genauen Umrisses begonnen wird. Selbst feinste Bögen und Linien können nach kurzer Übung sauber ausgesägt werden. Alternativ kann auch eine Laubsäge verwendet werden. Dies erfordert allerdings wesentlich mehr Zeit und bei Ungeübten etwas Einarbeitung. Beim Aussägen mit der Laubsäge sollte das Holzbrett nicht zu klein sein, da es eingespannt werden muss. Im Unterschied zur Arbeit an der Dekupiersäge, bei der die Schnittlinie durch entsprechendes Bewegen des Brettchens entsteht, muss beim Sägen mit der Laubsäge die Schnittlinie durch eine exakte Führung des Sägeblatts bei gleichzeitiger Auf- und Abbewegung der Säge getroffen werden.

Bei Tieren, die auf vier Beinen stehen sollen, sind noch ein oder zwei Sägeschnitte (je nach Abstand) an den Innenseiten der Beine sinnvoll. Durch diese Schnitte wird das Herausschnitzen des Materials zwischen den Beinen erleichtert. Allerdings besteht hier die Gefahr, dass zu weit oder im falschen Winkel gesägt wird. Wer sich mit der Säge unsicher fühlt, sollte die Schnitte sehr vorsichtig ausführen oder eventuell besser darauf verzichten. Dies gilt auch für Tierfiguren mit einem lang herunterhängenden Schweif, der durch solche Schnitte unweigerlich zersägt würde.

Sehr viel mehr Übung als das Sägen mit der Dekupiersäge erfordert die Ausarbeitung der Körperformen mit dem Schnitzmesser. Grundvoraussetzung für eine effektive Arbeit ist, wie bei allen Schnitzwerkzeugen, ein optimal geschärftes Messer. Für Schnitzmesser ist die übliche Schleifmethode mit dem Handschleifstein, bei der der Stein bewegt wird, eher ungeeignet. Um sie zu schärfen, wird der Schleifstein entweder ruhig in der linken Hand gehalten oder auf einen Tisch (nicht unmittelbar auf die Schnitzbank!) gelegt. Das Messer wird von beiden Seiten gleichmäßig auf der ebenen Fläche hin- und hergezogen. Während des Schnitzens kann das Messer durch Ziehen über ein Schleifleder immer wieder nachgeschärft werden.

Beim Schnitzen aus der Hand besteht eine stärkere Verletzungsgefahr, da es sich hier nicht vermeiden lässt, zum eigenen Körper hin zu arbeiten. Besonders gefährdet ist die Hand, die den Rohling hält. Bei richtiger Handhabung des Schnitzmessers kann das Risiko, sich zu schneiden, aber auf ein Minimum reduziert werden. Wenn überhaupt, kommt es dann meist nur zu harmlosen kleinen Schnitten, die rasch verheilen. Bei der Arbeit in Richtung Körper muss der Griff des Messers fest in den vier Fingern der rechten Hand liegen, während der rechte Daumen als Gegenstütze am Holz dient (ähnlich wie etwa beim Kartoffelschälen). Der Daumen hat eine wichtige Funktion sowohl bei der Absicherung der Hände als auch bei der gezielten Führung des Messers. Wird in die Gegenrichtung, also vom Körper weg geschnitten, hält die rechte Hand das Schnitzmesser fest, während der linke Daumen von hinten nachschiebt. Er dient dann sowohl als Druckverstärker als auch als Steuerinstrument. Mit der linken Hand wird der Rohling gehalten, und zwar möglichst so, dass die Finger nicht in der Schnittlinie des Messers liegen. Es erfordert etwas Übung, die Finger so einzuknicken, dass sie nicht gefährdet sind, aber dabei nicht verkrampfen. Da man beim Schnitzen aus der Hand Werkzeug und Rohling ständig sehr fest halten muss, werden die Finger- und Handmuskeln recht stark belastet. Deshalb fangen ungeübte Hände bei dieser Art des Schnitzens bald an zu schmerzen. Um Verkrampfungen und Schmerzen zu vermeiden, sollten die Hände durch Ausschütteln immer wieder gelockert werden, denn mit zittrigen Händen erhöht sich natürlich das Risiko, sich zu verletzen. Eine weitere Folge der Anstrengung sind feuchte Hände, die die schon früher angesprochene Verschmutzung der Figur beschleunigen. Deshalb sollten die Hände zwischendurch immer wieder gewaschen werden.

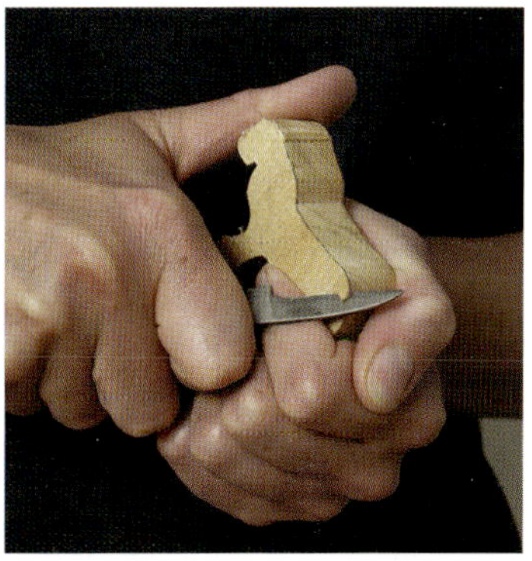

Beim Schnitzen in Körperrichtung dient der Daumen zur Absicherung.

Beim Schnitzen vom Körper weg wird mit dem linken Daumen nachgeholfen.

Tipp Verletzungsrisiko

Ein alter Lederhandschuh an der haltenden Hand kann das Verletzungsrisiko deutlich mindern und ist nicht nur Anfängern zu empfehlen. Eine andere Methode, die Hände zu schützen, ist das Umwickeln der Finger mit Heftpflaster.

Wie bei großen Tierfiguren werden auch hier zunächst die wichtigen Flächen des Tiers angelegt, hier durch gezielte Schnitte mit dem Schnitzmesser. Je nach Tierart müssen einzelne Körperteile wie Hals und Kopf – bei dem hier gezeigten Beispiel eines Löwen dagegen vor allem die Hüften und die Schnauze – schmaler geschnitzt werden als der übrige Körper. Dies gilt ebenso für die Beine. Dann werden die Kanten an den Stellen, die rund werden sollen, mit glatten Schnitten gebrochen, zunächst an den Seiten und am Bauch. Auch die gesägten Umrissflächen des kleinen Rohlings werden nachgeschnitten und bei Bedarf korrigiert. Da die Sägeflächen eine eher stumpfe Oberfläche haben, sollten sie nirgends an der Figur stehen bleiben. Je nach Körperlinie werden auch am Kopf die Kanten gebrochen. Ohren oder Maul können mit wenigen kleinen Schnitten in die typische Form gebracht werden. Scharfe Kanten, z. B. um die Schwanzlinie abzugrenzen, werden zunächst mit der Messerspitze vorgezogen und dann von beiden Seiten her sauber nachgeschnitten. Dabei muss jeder Schnitt auch in Hinblick auf die Faserrichtung genau überlegt werden. Bei einer kleinen Figur kann sich ein unbedachter Schnitt gegen die Faser noch gravierender auswirken als bei einer großen.

Am schwierigsten ist meist die Ausarbeitung der Beine stehender Tiere, bei der die Schnittrichtung einerseits vom Rumpf weg nach unten und im Wechsel damit aber auch von Tatzen oder Hufen ausgehend nach oben führt. Bei Tieren wie etwa Schafen oder Rehen müssen die Beine sehr dünn ausgeführt werden. Dabei besteht die Gefahr, dass sie durch einen Schnitt in die falsche Richtung brechen. Bei fülligen Tieren mit dicken Beinen wie etwa Bären ist ein Durchbruch zwischen den beiden Vorder- bzw. Hinterbeinen nicht nötig. Hier genügt die Andeutung des Zwischenraums durch schräg nach innen gerichtete Schnitte mit dem Schnitzmesser. Schmale Beine, wie die der meisten Huftiere, wirken jedoch viel realistischer, wenn der Zwischenraum entfernt wird. Wurden nicht schon die zuvor beschriebenen Sägeschnitte gesetzt, wird dieser Zwischenraum am besten mit einem kleinen, stark gewölbten Hohlbohrer (Stich 10–11) herausgeschnitzt. Hierzu wird die Figur

1 Zunächst werden Hüfte und Beine des Löwen insgesamt schmaler geschnitten als der Kopf.

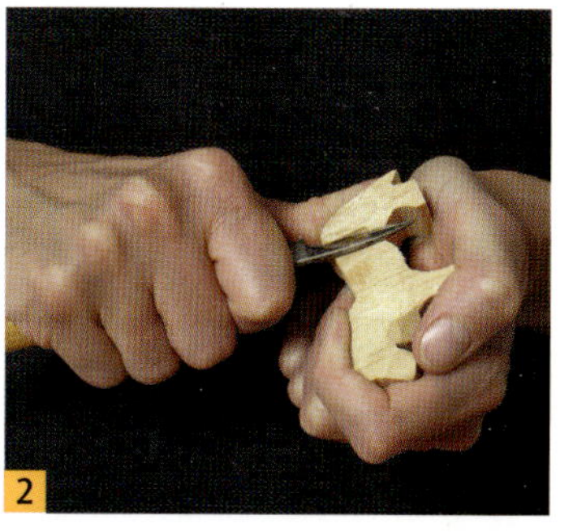

2 Rumpf und Kopf müssen durch Wegschnitzen der Kanten schön abgerundet werden.

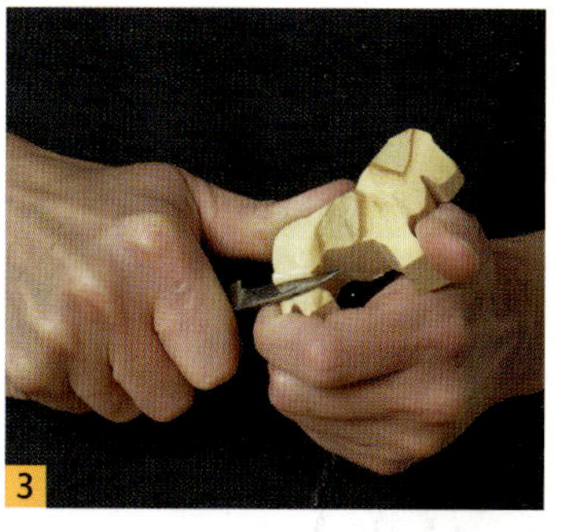

3 Die Hüfte des Löwen wird nochmals schmaler geschnitten als der übrige Körper.

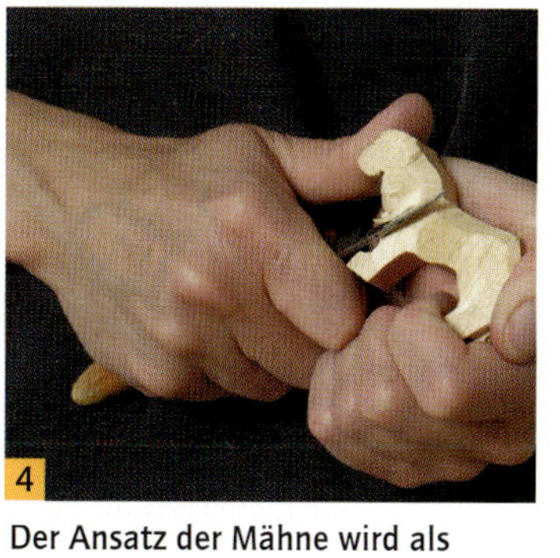

4 Der Ansatz der Mähne wird als Kante geschnitzt.

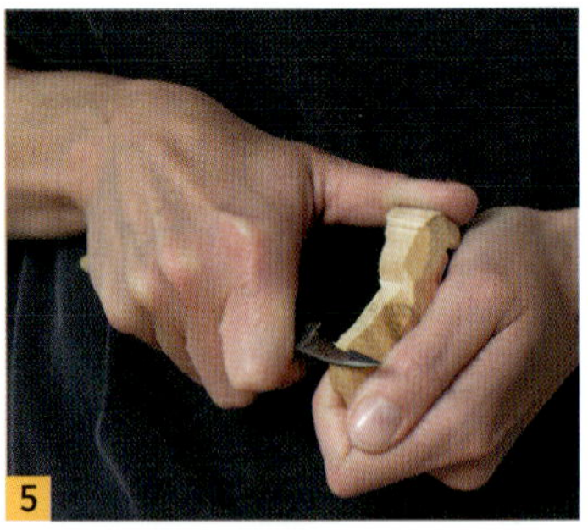

Die stumpfen Sägeflächen werden überall nachgeschnitten, um eine einheitliche Oberfläche zu erhalten.

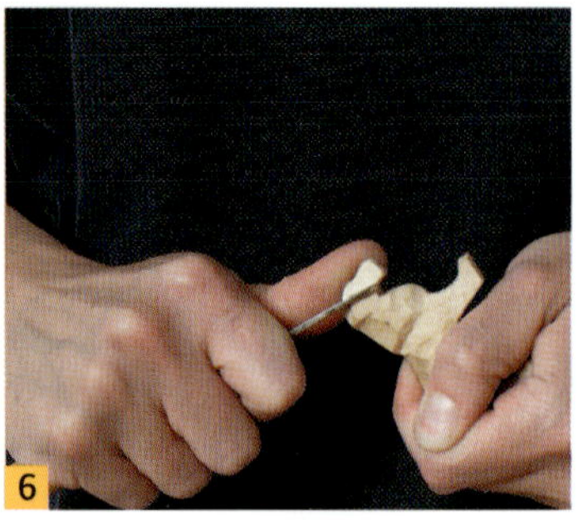

Am Kopf werden durch feine Schnitte Augen, Ohren und Maul angedeutet.

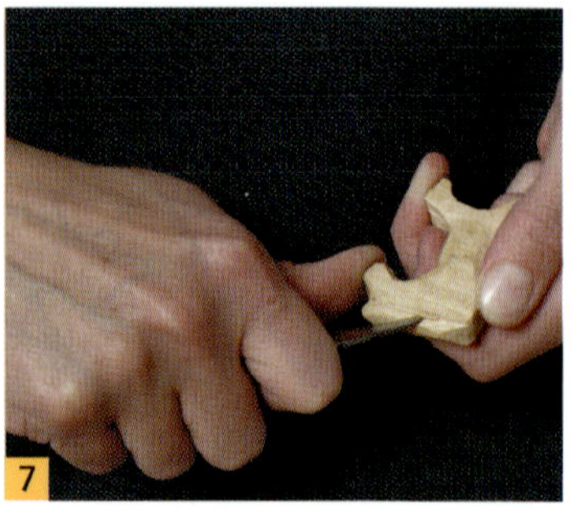

Mit der Messerspitze wird die Linie des Schwanzes vorgekerbt und dann von beiden Seiten nachgeschnitten.

Bei der Ausarbeitung der Beininnenseiten besteht eine erhöhte Verletzungsgefahr.

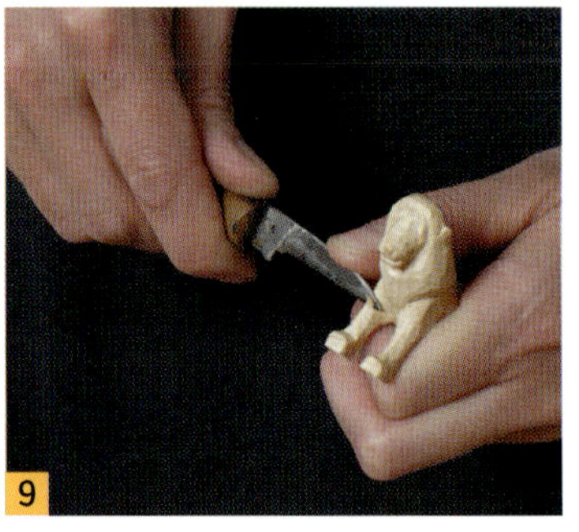

Beim Schnitzen der Beine muss häufig die Schnittrichtung gewechselt werden.

mit den Beinen nach oben fest in der linken Hand gehalten. Dabei muss allerdings sehr vorsichtig gearbeitet werden, da die Verletzungsgefahr recht hoch ist. Das Schnitzeisen wird möglichst weit vorn gefasst und dabei immer mit dem Handballen abgesichert.

Die einzelnen Fertigungsschritte der kleinen Löwenfigur

Abstehende Köperteile

Waagerecht stehende, dünne Körperteile wie die Hörner bei einem Rind, die Stoßzähne bei einem Elefanten, die Schwanzfedern oder ein waagerecht stehender langer Schnabel bei Vögeln oder auch seitlich abstehende Ohren, wie etwa bei Rehen oder Kühen, werden getrennt geschnitzt und später angesetzt. (Bei den Ohren von Kühen kann dies aber auch umgangen werden, indem man sie nicht realistisch ausführt, sondern nur andeutet.) Dazu werden an den Enden der anzusetzenden Teile – in diesem Fall der Hörner einer Kuh – kleine, dübelförmige Verlängerungen eingeplant und spitz zulaufend zurechtgeschnitzt bzw. geschliffen. Das Zentrum des bogenförmigen Horns sollte dabei ungefähr in Faserrichtung verlaufen. Am Kopf wird mit einem kleinen Handbohrer auf jeder Seite ein kleines Loch gebohrt. Dabei muss genau auf den richtigen Winkel geachtet werden, damit die Hörner später auch in der richtigen Position stehen. Wichtig ist auch die anatomisch richtige Anbringung der Löcher. Bei Kühen befinden sich die Hörner z. B. ganz oben seitlich am Kopf; die Ohren setzen weiter unten an. Der kleine Dübel am anzusetzenden Körperteil sollte vorn schmaler ausgeführt sein, sich aber nach hinten etwas verdicken, damit er nach dem Einfügen auch fest sitzt. Passen die Teile exakt zueinander, werden Löcher und Dübel mit

etwas Leim bestrichen und dann mit kräftigem, aber vorsichtigem Druck zusammengesteckt.
Vor diesem zusätzlichen Arbeitsschritt muss jedoch genau überlegt werden, ob er auch tatsächlich notwendig ist. Die Hörner einer Ziege, eines Widders oder selbst eines Steinbocks lassen sich problemlos mit dem übrigen Körper aus einem Stück schnitzen, da sie oben am Kopf ansetzen und vorwiegend in Faserrichtung zeigen. Bei stark gebogenen Hörnern ist allerdings an den quer verlaufenden Rundungen etwas Vorsicht geboten. Auch Elefantenohren, ein Hirschgeweih oder das Horn des Nashorns müssen nicht extra angesetzt werden.
Details wie Augen, Nasenlöcher, Fellstrukturen können bei solch kleinen Figuren meist weggelassen werden. Bei dickfelligen Tieren wie z. B. Schafen wird allerdings der typische Charakter des wolligen Fells durch Zierschnitte mit einem kleinen Hohlbohrer erst richtig deutlich.
Soll möglichst realistisch gearbeitet werden, können Augenwölbungen oder Hufabgrenzungen durch Stehenlassen einer Kante, kleinen Änderungen des Schnittwinkels oder leichte Einkerbungen angedeutet werden. Wird das Figürchen später bemalt, können z. B. die Augen einfach nur mit einem feinen Pinsel in schwarzer

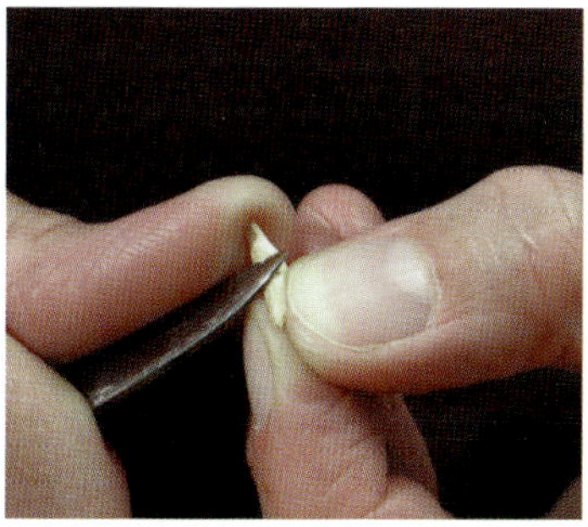

Die winzigen Hörner für die Figur eines Ochsen werden mit vorsichtigen Schnitten zugespitzt.

Die Hörner werden in die bereits vorgebohrten Löcher vorsichtig eingepasst.

Farbe aufgetupft werden. Bei solch einfachen Tierfiguren kann eine typische Farbgebung mitunter zur Charakterisierung des Tiers beitragen. Oft genügen einige wenige typische Farbtupfer oder -striche, etwa ein paar wohl überlegte Streifen bei einem Tiger, um das Tier eindeutig zu kennzeichnen. Die natürliche Holzfarbe kann hier als Grundton bestehen bleiben.
Zum Schluss der Arbeit muss noch geprüft werden, ob die Figur gut steht. Eventuell müssen die Standflächen etwas nachgeschliffen werden. Dazu wird das Schleifpapier auf eine ebene Fläche gelegt und die Figur darauf so lange hin- und hergezogen, bis sie sicher auf allen vier Beinen steht.
Soll eine ganze Tiergruppe geschnitzt werden, beispielsweise ein Zoo, kann es sehr reizvoll sein, die verschiedenen Tiere je nach ihrer natürlichen Farbe in verschiedenen Holzarten zu schnitzen. Nussbaum mit seinem dunkelbraunen Holzton eignet sich z. B. gut für Bären oder Panther, die starke Maserung von Kirschbaum oder auch Zirbelkiefer kann die Zeichnung eines Tigers andeuten, ein sehr helles Lindenholz kann für den Eisbär verwendet werden. Auch innerhalb einer Holzart gibt es häufig große Unterschiede in Farbe und Struktur, die mit etwas Geschick sinnvoll ausgenutzt werden können.

Auch die Hörner dieses Stiers wurden extra geschnitzt und eingeleimt.

Tipp Zierschnitte

Unter Umständen kann zur Fertigstellung der Figur zum Abschluss ein kleiner Hohlbohrer eingesetzt werden. Mit seiner Hilfe können z. B. die Beinansätze an den Innenseiten saubergeschnitten werden. Auch für einfache Zierschnitte, beispielsweise zur Andeutung des dicken Fells bei einem Schaf, lässt er sich mitunter, je nach gewünschter Struktur, besser verwenden als ein Schnitzmesser.

Für das Kasperltheater

Krokodil als Handpuppe

Eine eher spielerische Variante ist das Schnitzen von Handpuppen für das Kasperltheater. Hier ist die wichtigste Tierfigur natürlich das Krokodil. Wer Kinder oder Enkel hat, weiß, welche Faszination diese Figur nach wie vor auf sie ausübt. Ein selbst geschnitztes Krokodil ist deshalb ein ganz besonderes Geschenk – entweder als Ergänzung zu schon vorhandenen Kasperlfiguren oder auch für sich allein. Die im Folgenden beschriebene Vorgehensweise kann im Prinzip auch auf andere Tiere, etwa einen Wolf übertragen werden. Allerdings setzt sie schon einige Erfahrung beim Schnitzen voraus, denn sie stellt einige Anforderungen an das Gefühl des Schnitzers für den Faserverlauf des Holzes.

Nur der Kopf des Krokodils muss geschnitzt werden; der Körper wird wie bei allen Handpuppen aus Stoff hergestellt. Damit das Krokodil später sein Maul auf- und zuklappen kann, muss der Kopf aus zwei Teilen bestehen: dem eigentlichen Kopf mit dem Oberkiefer und einem separaten Unterkiefer, der über ein Gelenk an den Kopfteil angehängt wird. Diese einfache Konstruktion entspricht dem Skelettaufbau eines echten Krokodils, bei dem der Unterkiefer ebenfalls nur lose über die beiden Kiefergelenke mit dem Schädelknochen verbunden ist. Der Oberkiefer dagegen ist fest mit dem Schädel verwachsen. Beim Öffnen und Schließen des Mauls wird eigentlich nur der Unterkiefer bewegt. Dies trifft übrigens auch auf alle anderen Wirbeltiere einschließlich des Menschen zu. Als Schnitzmaterial genügen oft Reststücke, die beim Zuschneiden größerer Rohlinge angefallen sind. Der Kopfteil sollte etwa eine Stärke von 5 cm haben, für den Unterkiefer reichen 2 – 3 cm. Die Holzfaser muss hier in Längsrichtung zu den beiden Maulhälften verlaufen, da sie sonst abbrechen. Der Kopfteil wird länger und auch etwas breiter (ca. 15 x 9 cm) als der Unterkiefer (14 x 6 cm) bemessen. Als weitere Materialien benötigt man grüne Stoffreste, einen starken Draht oder dünne, runde Holzstäbe sowie Wasserfarben. Bevor mit dem Zusägen der Holzteile begonnen werden kann, sind die gleichen Vorbereitungen wie bei einer Vollfigur nötig. Die Anatomie des Krokodils, vor allem die des Kopfes, sollte also zunächst wieder durch Zeichnen und Beobachten gründlich studiert werden. Wie lang ist das Maul im Vergleich zum Schädel? Wie stehen die Zähne? Wo sitzen die Augen und Nüstern? Anhand einer passenden Skizze im Maßstab 1 : 1 wird für Kopfteil und Unterkiefer je-

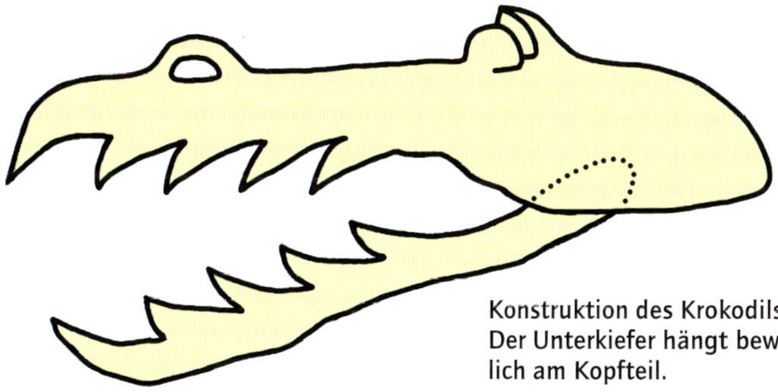

Konstruktion des Krokodils: Der Unterkiefer hängt beweglich am Kopfteil.

weils eine einfache Papier- oder Pappschablone erstellt. Damit werden die Umrisse auf das Holz übertragen und mit einer Band- oder Dekupiersäge ausgesägt. Ist schon einige Erfahrung mit dem Einschätzen von Proportionen vorhanden, kann man die einfachen Umrisse auch nach Augenmaß ohne Schablonen direkt auf die Holzstücke aufzeichnen.
Steht keine Bandsäge zur Verfügung, können die Umrisse auch mit einem großen Balleisen und einem Klüpfel zurechtgeschlagen werden. Am besten wird mit dem größeren Kopfteil begonnen, da es etwas stärker ist und deshalb nicht so leicht bricht. So kann schon etwas Erfahrung für das spätere Schnitzen des dünneren Unterkiefers gesammelt werden.
Der Rohling wird liegend in Längsrichtung zwischen die beiden Bankhaken der Schnitzbank gespannt. In diesem Fall ist es besonders wichtig, dass zwischen Holz und Bankhaken starke Holzleisten gelegt werden. Sie dürfen nicht zu dünn sein, da sie bei der Arbeit als Puffer für die Schneide des Schnitzeisens dienen müssen.
Die Schwierigkeit beim Schnitzen der beiden Teile liegt weniger im Herausarbeiten der relativ klaren und einfachen Formen als im sicheren Umgang mit dem Holzfaserverlauf. Besonders bei der Ausarbeitung der Zähne muss sehr behutsam vorgegangen werden, da sie nicht die optimale Lage zur Holzfaser haben.
Bevor mit dem Anlegen der Form begonnen wird, werden zunächst an beiden Kieferteilen die Linien der Zwischenräume zwischen den Zähnen mit dem Bleistift angezeichnet und dann mit einer feinen Handsäge (oder sehr vorsichtig mit der Bandsäge) vorgesägt. Die Schnitte dürfen nicht tiefer als etwa bis zur Mitte des Rohlings reichen und die Schnittrichtung muss schräg nach vorn zeigen, auf keinen Fall gerade nach unten!
Beim Anlegen des Kopfes wird mit der Außenseite (hier der Oberseite) begonnen. Zunächst wird die richtige Position der kugelartigen Augen festgelegt, die beim Krokodil ziemlich dicht beieinander oben auf dem Kopf sitzen, also dessen höchsten Punkt darstellen. Am besten eignen sich dazu Hohleisen. Etwas flachere, größere Hohleisen werden für die Flächen und kleinere Hohleisen Stich 7–8 für die Herausarbeitung der Augen eingesetzt. Der Schädel bleibt relativ breit; das Maul wird nach vorn hin schmaler und flacher und läuft in einer länglichen Rundung aus. Die Nasenflügel werden weiter vorn am Maul ebenfalls als zwei Erhöhungen angelegt. Ihre Öffnungen zeigen nach rechts und links. Ist die Oberseite angelegt, wird das Werkstück umgedreht. Viel schwieriger ist nun die Arbeit an der Unterseite, denn hier sitzen die Zähne, die sich im Halbkreis um den Rand des Kiefers ziehen. Als Erstes wird die Zahnleiste als Ganzes herausgearbeitet. Dazu wird das Material in der Mitte, also am Gaumen des Krokodils, weggeschnitzt (am besten mit einem Hohleisen oder auch Hohlbohrer Stich 7–10), bis sich ein etwa 2 cm tiefer, nicht zu schmaler Rand bildet. Dabei muss so lange in die Tiefe gearbeitet werden, bis am Gaumen keine Sägespuren mehr zu sehen sind. An den Enden dieser Leiste muss ebenfalls in die Tiefe geschnitzt werden, um den letzten Zahn hervortreten zu lassen. Außerdem wird der Kopf so weit ausgehöhlt,

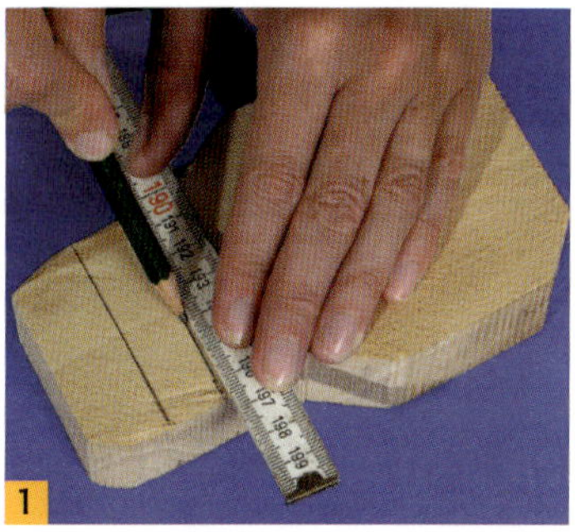

1

Die Position der Sägeschnitte wird am Rohling angezeichnet.

2

Die Zwischenräume werden mit der Säge vorgesägt.

Tipp Einspannen

Im Verlauf der Arbeit werden die Holzteile immer dünner und dadurch zerbrechlicher. Deshalb muss darauf geachtet werden, dass sie nicht zu kräftig eingespannt werden. Die Spannung darf nur gerade so groß sein, dass das Holz nicht wackelt oder verrutscht. Sind knacksende Geräusche zu hören oder bilden sich gar kleine Risse, ist dies ein Warnsignal, dass das Holz bald brechen wird.

Die Oberseite des Kopfes wird zunächst in großzügigen Flächen angelegt.

Die Wölbung der Augen wird mit kreisförmigen Schnitten herausgearbeitet.

Die Unterseite des Kopfes wird ausgehöhlt, ebenso wie Gaumen und Unterkiefer.

Beim Anlegen der Zähne muss sehr vorsichtig gearbeitet werden, damit sie nicht ausbrechen.

Die vorderen Zähne werden mit dem Geißfuß vorgekerbt. Dabei dient die Leiste als Puffer.

Am Unterkiefer wird von oben und von unten ein Einschnitt herausgearbeitet.

Die Augenkugeln werden am Oberlid scharf abgesetzt und dann sauber ausgearbeitet.

Die unteren Augenbegrenzungen werden mit dem Hohlbohrer weich geschnitzt.

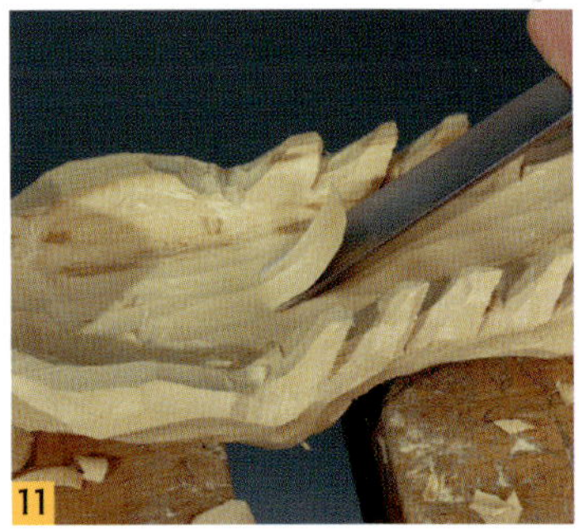

Die Höhlungen zwischen den Zahnleisten und im Schädel werden ganz saubergeschnitzt.

Die Zahnvorderseiten müssen von der Seite aus geschnitzt werden.

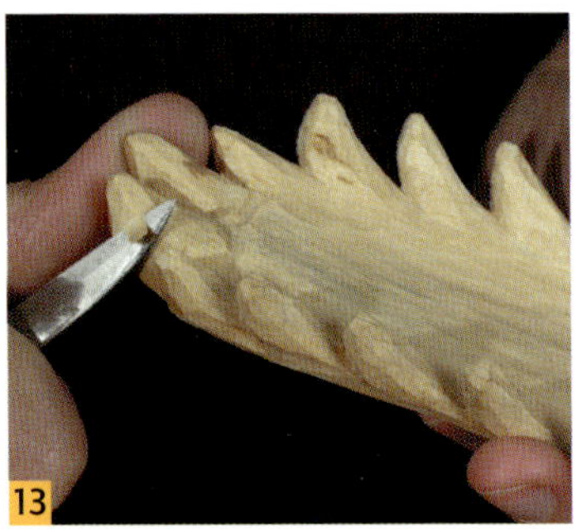

Die Vorderzähne werden mit dem Schnitzmesser zugespitzt.

Ober- und Unterkiefer werden mit einem Handbohrer durchbohrt.

Durch die Bemalung kommen die Augen und die Zähne erst richtig zur Geltung.

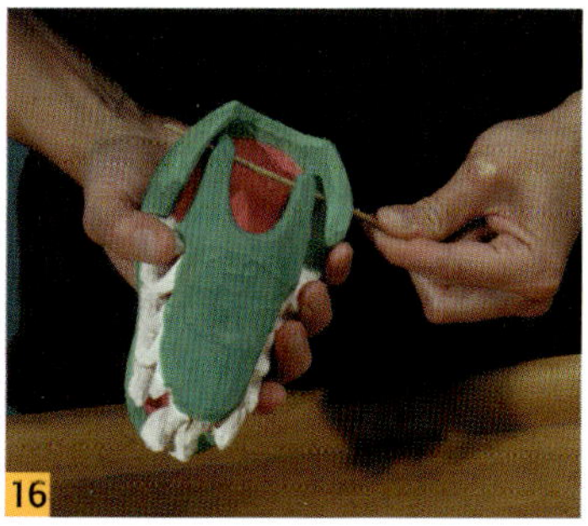

Mit einem kleinen Rundholz werden die Teile des Krokodils zusammengefügt.

dass an den Seiten „Backen" entstehen, die so schmal sind, dass sie später durchbohrt werden können (ca. 1 cm). An ihrer Innenseite soll dann der Unterkiefer befestigt werden.
Der Unterkiefer wird ebenfalls zuerst an der Außenseite angelegt, die hier nur aus einer gewölbten Fläche besteht. An der Innenseite entsteht die untere Zahnleiste; nach hinten (zum Kopf zu) soll der Unterkiefer in zwei getrennte Schenkel auslaufen. Dazu muss der Zwischenraum mit einem Hohleisen herausgeschnitzt werden, wobei das dazwischen gespannte Leistenstück bewusst als Puffer benutzt werden kann. Der Rohling muss dabei immer wieder umgedreht und von der jeweils anderen Seite bearbeitet werden.
Wegen seiner geringen Dicke ist schnell ein Durchbruch erreicht. Die Schenkel dürfen auf keinen Fall zu dünn ausgeführt werden, da sie später Bohrlöcher erhalten sollen und sonst beim Bohren brechen. Außerdem muss ihre Gesamtbreite so bemessen werden, dass sie sich möglichst genau zwischen die Backen am Kopfteil legen lassen. Beim Anlegen des Unterkiefers ist eine ständige Anpassung an die Proportionen des Oberkiefers unumgänglich. Er muss deshalb immer wieder ausgespannt und an die entsprechende Kopfstelle gehalten werden, bis er gut passt.
Die Zahnleisten von Ober- und Unterkiefer müssen exakt die gleiche Länge bekommen, damit sie später zueinander passen. Deshalb sollten auch sie beim Anlegen immer wieder aneinander gelegt, verglichen und gegebenenfalls korrigiert werden. Es ist allerdings nicht nötig, die Zähne exakt ineinander greifen zu lassen. Die Genauigkeit der Zahnreihen bleibt letztendlich dem Geschmack des Einzelnen überlassen. Die vier Zähne an der Maulspitze können schon angezeichnet und mit dem Geißfuß angelegt werden. Dabei muss darauf geachtet werden, dass sie nicht nach unten, sondern schräg nach vorn zeigen. Stehen sie genau nach unten, brechen sie wegen der für sie ungünstigen Faserrichtung sehr leicht aus. Stehen sie jedoch gerade nach vorn, brechen sie aufgrund des starken Drucks durch das Einspannen ebenfalls irgendwann ab. Um das Abbrechen zu verhindern, ist es auch wichtig, das Maul am vorderen Ende nicht zu stark auszuhöhlen, sodass es nicht zu dünn wird. Die Vorderzähne sollten recht gerade in die Gaumenfläche übergehen. Die seitlichen Zähne müssen nun mit einem Flacheisen und einem Hohleisen (Stich $2\frac{1}{2}$ und 5) so angelegt werden, dass sie schräg nach vorn zeigen. Dies ist sehr wichtig, um die Faserrichtung zu berücksichtigen und ein Ausbrechen der Zähne zu verhindern. Dabei wird zunächst mit dem Flacheisen von der Zahnspitze her behutsam nach schräg unten geschnitten. Anschließend wird mit dem Hohleisen – von der Zahnspitze des Nachbarzahns her – aus der Gegenrichtung zum gleichen Punkt hin geschnitten. Dies wird so lange wiederholt, bis die Einkerbung des Zahnzwischenraums das Niveau des Gaumens erreicht. Selbst bei allergrößter Vorsicht kann es passieren, dass ein Zahn wegbricht. Er kann dann mit Holzleim und einer Rahmenklammer wieder angeleimt werden. Dazu wird zunächst auf beide Bruchstellen etwas Holzleim aufgetragen und der Zahn wieder an die richtige Position gesetzt. Anschließend wird er auf die Bruchstelle gepresst – entweder mit Hilfe einer sehr kleinen Rahmenklammer oder er wird mit dem Kiefer zusammen in die Vorderzange gespannt.
Sind alle Zähne grob vorgeschnitzt, alle äußeren und inneren Flächen an beiden Teilen angelegt und die Augenkugeln herausgearbeitet, kann mit dem Sauberschneiden der Oberfläche begonnen werden. Es bleibt dem Geschmack des Einzelnen überlassen, ob ein eher stilisiertes, vereinfachtes oder auch ein sehr naturgetreues Krokodil entstehen soll. Dabei kann mehr oder weniger ins Detail gegangen werden, etwa durch Andeuten der panzerartigen Haut. Zunächst werden mit größeren Flacheisen (Stich $2\frac{1}{2}$–3) alle großen Außenflächen überarbeitet und geglättet. Wer möchte, kann die Flächen durch einfache Zierschnitte mit einem kleinen Geißfuß später auch noch mit einem Krokodilsmuster versehen. Die Maulkanten werden schräg nach außen geschnitten, sodass die Zähne breiter als das Maul selbst und dadurch auch von oben sichtbar werden. Nun werden die Zähne von allen Richtungen her bearbeitet und geglättet. Die Augenkugeln werden mit Hilfe eines kleinen, genau passenden Hohleisens (ca. Stich 6) mit der Fase nach unten glatt geschnitzt. Dazu muss das Schnitzeisen unter ständigem Richtungswechsel (je nach Faserrichtung) immer der Rundung nach geführt werden. Der Ansatz der Augen am Kopf

wird mit einem Hohleisen oder Hohlbohrer (Stich 8–10) behandelt, damit keine scharfe Kante entsteht. In die beiden glatten Kugeln werden dann noch die Kerben der Augenlider geschnitzt. Zunächst legt man die gewünschten Linien vorsichtig mit einem kleinen, aber nicht zu spitzen Geißfuß oder auch einem kleinen Hohlbohrer fest. Dann wird durch abwechselndes Schneiden von oben und unten eine exakte, scharfe Lidkante ausgearbeitet. Mit einem Flacheisen (Stich 3) wird die Kante von oben her ausgearbeitet. Von unten, an der Rundung des Augapfels, wird dagegen mit einem stärker gewölbten Eisen (Stich 4–5, mit der Fase nach unten) geschnitzt. Dabei darf nie zu steil nach unten geschnitten werden, da sonst die Einkerbung womöglich immer tiefer wird und so „aus dem Ruder läuft". Steht die Kante fest, wird der Augapfel genauso wie vorher die ganze Kugel glatt und sauber geschnitzt. Auf diese Weise entsteht eine kleine Kugel in der großen.
An den Innenseiten der beiden Kiefer werden zunächst die Zähne ähnlich wie zuvor beim Anlegen mit dem kleinen Flacheisen und einem kleinen Hohleisen sauber und spitz zulaufend geschnitzt. Dabei muss die Faserrichtung genau beachtet werden. Die gewölbte, nach vorn gerichtete Seite der Zähne darf auf keinen Fall von der Spitze her bearbeitet werden, sondern muss vorsichtig von beiden Seiten aus zur Zahnspitze hin saubergeschnitten werden. Die Höhlungen an Gaumen und Kopfunterseite werden mit einem möglichst genau passenden Hohleisen dann nochmals nachgeschnitten, bis sie glatt sind.

Um den Unterkiefer später mit dem Kopfteil verbinden zu können, werden sowohl durch die beiden Schenkel als auch durch die dünnen Backenteile am Kopfteil mit einem feinen, scharfen Handbohrer kleine Löcher gebohrt. Für die Löcher am Kopf sollte ein etwas dünnerer Bohrer verwendet werden als beim Unterkiefer, damit das Verbindungshölzchen später fest sitzt.
Bevor die beiden Teile zusammengefügt werden, sollten sie, falls gewünscht, bemalt und gewachst werden. Gut geeignet sind dazu Aquarell- oder sonstige Wasserfarben, die sich an den großen Flächen mit einem breiten Borstenpinsel, an den detaillierteren Stellen wie etwa den Augen mit einem feinen Haarpinsel problemlos auftragen lassen. Soll ein kräftiger Farbton erzielt werden, muss die Farbe dicker aufgetragen werden. Dazu eignen sich gute Wasserfarben eines Markenherstellers besser als Aquarellfarben. Letztere eignen sich dagegen für einen zarten, lasierenden Farbanstrich besonders gut. Der Grundton des Krokodils ist natürlich Grün. Die Innenseiten und der Gaumen heben sich durch rote Farbe besonders eindrucksvoll von den weißen Zähnen ab. Auf die weißen Augäpfel werden die strichförmigen Pupillen in Schwarz gemalt. Sind die Farben abgetrocknet, können die Teile noch mit Holzwachs behandelt werden, das am besten mit einem sauberen Baumwollläppchen aufgetragen und später mit einer weichen Bürste nachpoliert wird.
Danach können die beiden Teile mit einem festen Draht, besser noch mit einem dünnen Rundholz verbunden werden. Die Verwendung von Draht ist etwas einfacher, da er einfach von außen durch das erste Loch am Kopf geführt, dann durch die Löcher des Unterkiefers und schließlich durch das anderen Loch am Kopf wieder hinausgeführt wird. An den Seiten bleiben nur kurze Stücke stehen, die zu einer Schlaufe gebunden oder auch in einem zweiten kleinen Loch neben dem ersten verborgen werden können. Wird ein Rundholz verwendet, muss es genau in die Kopflöcher passen und sich in den Unterkieferlöchern bewegen lassen.

Die einzelnen Arbeitsstadien des Krokodils